Oráculo de los Ar

"*Oráculo de los Arcángeles Fe*
una nueva rama de tu árbol genealógico. El amor, la compasión, la motivación y el apoyo acarician tus dedos y tu corazón, conectándote de una forma más profunda con lo divino. Espero con entusiasmo consultar este mazo para fines personales y profesionales en los años venideros".

– **Rev. BUNNY LOVE-SHOCK**, ministro y *coach* de conciencia corporal

"Mi corazón resuena profundamente con el el llamado sagrado de Calista para dar a conocer los Arcángeles femeninos. Todo en este mazo se alinea de manera perfecta con las vibraciones elevadas y nítidas de estos ángeles. Las imágenes irradian magia y el libro guía es una potente inspiración divina, traducida en palabras directamente por el espíritu. *Oráculo de los Arcángeles Femeninos* es más que impresionante: es invaluable, atemporal y extraordinario".

– **TESS WHITEHURST**, profesora y autora de *Magia en tu casa* y *You Are Magical*

"*Oráculo de los Arcángeles Femeninos* es la herramienta definitiva para guiar tu ascensión espiritual. Cada carta transmite poderosas frecuencias que se perciben a un nivel físico para ayudarte a conectar con los aspectos masculinos y femeninos de los Arcángeles. La profundidad del simbolismo y los colores eléctricos capturan la esencia de cada ángel. ¡Prepárate para vivir una profunda transformación!".

– **GEORG LIZOS**, sanador intuitivo y autor de *Lightworkers Gotta Work*

"¡Estas no son solo cartas del oráculo, son vidas enteras de sabiduría en una caja! Me emociona mucho ser guiada por Calista, el ángel humano más hermoso y humilde. Su mazo tiene infinitos niveles de conocimiento, sabiduría antigua y magia. Desde hace tiempo soy fanática de las cartas de oráculo, ¡pero estas están en otro nivel! El amor de las Archeiai palpita a través de mí mientras sostengo las cartas, facilitando una comunicación angelical instantánea, directa y clara".

– **LUISA BRADSHAW-WHITE**, actriz y *coach* de respiración

"Un impresionante mazo que ofrece guía angelical inspirada y elevación espiritual. Calista es una fuerza femenina divina y su energía mágica y espíritu alegre se reflejan de manera clara en estas cartas".

– **KATY SLOANE**, guía y canalizadora celestial

"En este impresionante oráculo, el complemento perfecto de su libro *Oráculo de los Arcángeles Femeninos*, Calista nos proporciona un portal sagrado para acceder a los dones y enseñanzas tanto de los Arcángeles como de sus contrapartes femeninas, las Archeiai. Ilustrado de manera encantandora y lleno de una profunda sabiduría, mensajes inspiradores y poderosos símbolos, junto con bendiciones y activaciones especiales, este hermoso mazo es un compañero maravilloso para iluminar tu viaje de ascensión".

– **ALEXANDRA WENMAN**, experta en ángeles y autora de *Oráculo del fuego de los Arcángeles* y de *Archangel Alchemy Healing*

Oráculo de los ARCÁNGELES FEMENINOS

44 CARTAS Y LIBRO GUÍA PARA EMPODERARSE

CALISTA

Ilustrado por Marie-Joe Fourzali

Traducción por María Teresa Toro

Inner Traditions en Español
Rochester, Vermont

Inner Traditions en Español
One Park Street
Rochester, Vermont 05767
www.InnerTraditions.com

Inner Traditions en Español es un sello de Inner Traditions International

ISBN 979-8-88850-286-0

Impreso y encuadernado en China por Reliance Printing Co., Ltd.

10 9 8 7 6 5 4 3 2 1

Arte por Marie-Joe Fourzali.
Diseño del texto y las tarjetas por Richard Crookes.
Maquetación en español por Mantura Kabchi Abchi.
Fuente de visualización Times New Roman

Para enviar correspondencia a la autora de este libro, envíele una carta por correo a la atención de Inner Traditions • Bear & Company, One Park Street, Rochester, VT 05767, E.E. U.U. y le remitiremos la comunicación, o póngase en contacto directamente con ella en **www.calistaascension.com**.

¡Este mazo de oráculos, nacido del amor,
está dedicado a aquellos que están listos
para levantarse y brillar!

A los rebeldes, los pioneros, los arquitectos
y los alborotadores divinos
con el coraje para forjar un mundo nuevo y luminoso
del que todos podamos disfrutar.

¡Gracias!

¡A través de ustedes todo es posible!

ÍNDICE

PRÓLOGO

Hoy en día, la escuela conocida como "Tierra" se encuentra atravesando el cambio más impresionante de su historia. Este cambio no es una ocurrencia aleatoria; es un salto preorquestado hacia una conciencia corporal más elevada.

Durante milenios la Tierra fue un plano de aprendizaje predominantemente masculino, pero en una frecuencia inferior. Esta se alineaba con el ego y las increíbles lecciones que brindaba esta plataforma de aprendizaje.

Tras el momento cósmico en 2012, nuestro planeta cambió y comenzamos el viaje de regreso a nuestro corazón. Una vasta multitud de seres angelicales dio un paso al frente para ayudarnos, incluyendo a las Archeiai (los Arcángeles femeninos) y están llegando a nosotros de maneras que no creíamos posibles.

Aunque las Archeiai y sus homólogos masculinos, los Arcángeles, siempre han existido, solo estábamos preparados para conectar con aquellos ángeles que se habían comprometido en la primera parte de nuestro viaje. Ahora podemos ver y sentir a los ángeles divinos femeninos porque nuestra conciencia ascendente nos lo ha permitido.

Este hermoso mazo de oráculo es una forma perfecta y poderosa de conectar con estos seres inefables de luz que han venido a ayudar a la Tierra en el gran despertar.

Cada Archeia y Arcángel gemelo juega un papel fundamental en el establecimiento de la nueva era dorada de Acuario. A medida que formules las preguntas y te abras a la guía, estarás preparado para recibir un apoyo claro, conciso, gentil y lleno de amor por parte de la sabiduría angelical de este mazo.

Calista ha canalizado el verdadero poder y la magnificiencia de los ángeles, que podrás sentir en cada palabra, imagen y ejercicio de empoderamiento de este oráculo, fuente de inspiración.

Con amor y bendiciones,

Tim Whild
Experto en ascensión y guía
www.TimWhild.com

INTRODUCCIÓN

Durante eones, los ángeles han sido representados como seres masculinos, pero los tiempos están cambiando. En este primer mazo de oráculo que explora quiénes son los Arcángeles femeninos (junto con sus homólogos masculinos) conocerás, te fusionarás y te encarnarás en los ángeles y, juntos, crearán tu versión del Cielo en la Tierra.

Este mazo explora quiénes son las Archeiai, conocidas también como Arcángeles femeninos, por qué vienen ahora en ayuda de la humanidad, cuál es su papel en ayudar a elevar la conciencia divina femenina y cómo asociarse con ellas para vivir una vida extraordinaria.

Puedes utilizar este mazo de energía vibratoria para recibir poderosos mensajes de adivinación y sanación angelical, descubrir tu origen celestial, aprender a asociarte con las corrientes de energía primordial, sintonizar directamente con los ángeles y disfrutar un rico banquete de técnicas únicas de resolución para elevarse.

Aunque este mazo es un reflejo amoroso de los reinos arcangélicos y del apoyo celestial que siempre está disponible para nosotros, ¡no anda con rodeos! Atrás han quedado los días de tiernos oráculos angelicales, dado que nosotros como expertos buscadores espirituales que somos, estamos preparados para una verdad más cercana que las Archeiai comparten en abundancia. Junto con sus homólogos masculinos, las energías sagradas y las ilustraciones codificadas en luz, los ángeles evocarán y te guiarán a través de numerosos logrosen un viaje de regreso a la dicha y el equilibrio. Prepárate para ser visto, escuchado, sanado y empoderado a medida que tus sueños se manifiestan, tu vibración se eleva y tu corazón se llena de amor nuevamente.

Abre tus alas, ¡es hora de volar!

Calista

¿Quiénes son los Arcángeles femeninos?

Desde que se representa la imagen de los ángeles, estos han aparecido predominantemente en forma masculina, aunque en su interior existe un aspecto femenino. Esto no tiene nada que ver con el sexo biológico (dado que los ángeles son seres no físicos), sino con su vibración energética que puede emanar (y percibirse a través de nuestra conciencia) como masculino o femenino. Al igual que una moneda que con sus dos caras sigue siendo una moneda, un ángel también tiene dos caras.

La cualidad femenina de un ángel representa la semilla de la creación, mientras que la cualidad masculina es la flor que se desarrolla a partir de esta virtud, modelada a través de la voluntad y la acción. A veces se hace referencia a las Archeiai como la "llama gemela/contraparte divina" de los Arcángeles. Ambos no son seres separados, sino reflejos complementarios del otro. Desde el 11/11/11, las Archeiai han estado enfocando su luz en la Tierra para ayudar a la humanidad a expandir su conciencia y conectar conscientemente con la Fuente. Las Archeiai, que reflejan el potencial y el valor interno de la humanidad, son especialistas en ayudarnos a fortalecer nuestra energía femenina, sin importar el género, la cultura o el credo al que pertenezcamos.

Lo que aprenderás en este mazo (o mejor dicho, lo que **recordarás**) ha sido experimentado de primera mano a través de la conexión con estas increíbles luminarias.

De este modo, te propongo que conozcas a las Archeiai en persona, a fin de que puedas sacar tus propias conclusiones de las muchas experiencias que compartan. Habla con ellas, interrógalas, canalízalas, encárnalas; pregúntales cómo puedes apoyarlas en su evolución. Crear intenciones mutuas promoverá una resonancia más cercana entre ustedes, a medida que impulsan los cambios para los que estés preparado.

A los Arcángeles como Jofiel, Ariel, Cassiel y Gabriel a menudo se les percibe como ángeles femeninos. En tales casos, la energía que se siente es la luz de su gemela Archeia [arkeeya]. Los nombres de ángeles que terminan en el sufijo "el", que significa "en Dios", tienen la frecuencia sagrada masculina, mientras que los ángeles cuyos nombres terminan en "a" tienen la frecuencia divina femenina (una excepción a esta regla son los gemelos celestiales: los Arcángeles Sandalfón y Metatrón, que centran su frecuencia menos en el Cielo y más en la Tierra). Dado que la conciencia de las Archeiai es todavía relativamente nueva, cada ángel femenino ha sido titulada en este mazo por su virtud predominante para facilitar la consulta.

¿En qué se diferencian de sus homólogos masculinos?

Mientras que nuestros "hermanos mayores" celestiales nos ayudan a solucionar las cosas con rapidez como sí de curitas energéticas se tratara, nuestras "hermanas mayores" nos ayudan a darnos cuenta del origen de los problemas para que podamos sanar de raíz y fortalecernos. Por ejemplo, si sentimos que necesitamos protección, podemos pedir al Arcángel Miguel que corte las cuerdas energéticas del miedo. Si bien esto resulta beneficioso en el momento, si le pidiéramos la misma ayuda a la Archeia Fe (su gemela), ella nos inspiraría a abrir nuestro corazón al miedo para destruirlo, de modo que ya no se aferre a nosotros. Cada pareja de ángeles trabaja de formas diferentes, algunas sutiles, otras más profundas, pero se complementan para ayudarnos a sentirnos seguros y centrados en nuestro propio poder.

Pronto descubrirás trabajando con las cartas y sus energías, que las 17 Archeiai dentro del mazo te ayudarán a **encarnar** su virtud/enseñanza **por medio de una vivencia íntima**, guiándote a través de viajes internos, visualizaciones y sintonizaciones energéticas. Los 17 Arcángeles, por su parte, te ayudarán a **aplicar** la virtud/enseñanza de la carta en tu vida cotidiana **como expresión externa**, impulsándote a moverte guiado por la inspiración o a disfrutar de una experiencia práctica y creativa. Las diez cartas restantes, aunque reúnen ambos enfoques prácticos, se inclinan hacia la forma divina femenina de encarnar la sabiduría compartida.

¿Tengo un ángel de la guarda?

Los ángeles no son seres separados de ti y de mí, sino reflejos de nuestra mayor capacidad de amar y ser amados. Nos recuerdan nuestra divinidad, que tenemos los medios para disfrutar de una salud radiante, una abundancia desbordante y unas conexiones espirituales mágicas, sin importar nuestros orígenes o creencias. Del mismo modo, los ángeles no pertenecen a ninguna denominación religiosa en particular, sino que existen como energía de la fuente universal y actúan como mensajeros sagrados, apoyo y amigos eternos. Aunque hay muchos tipos diferentes de ángeles, tu ángel de la guarda es tu aliado angelical más cercano.

Alrededor de las 12 semanas en el útero, te fue asignado un ángel de la guarda (o más de uno) que te ayudó en tu nacimiento y continúa ayudándote en tu vida cotidiana en la Tierra. Cuando llega el momento de "graduarte" de la vida terrenal, incluso te guía en tu próxima aventura. A medida que evoluciona tu conciencia, puedes sentir que tu ángel guardián tiene dos aspectos con los que puedes comunicarte y asociarte, de la misma forma que sucede con una Archeia y su contraparte Arcángel. Sin embargo, no importa cómo percibas a tus ángeles personales, debes saber que están siempre contigo sirviendo de inspiración como guía útil, instintiva e intuitiva para apoyar tu vida y tu viaje espiritual.

CÓMO USAR TUS CARTAS

Conoce tus cartas

Convierte las cartas en una extensión de tu propio conocimiento interior fusionando tu luz con la resonancia del mazo. Para ello, ábrelo y llévate las cartas a la boca. Utilizando la "respiración fuente" (una forma devocional de respiración inspirada por el Arcángel Rafael), inhala hondo sintiendo cómo te conectas con tu corazón. Al exhalar, siente tu respiración dorada mientras impregnas de tu luz divina a cada carta. Antes de cada lectura/uso de las cartas, o después de que otra persona las haya tocado, usa la respiración fuente para limpiar y potenciar tu mazo.

Ahora abre las cartas en forma de abanico a nivel del centro de tu corazón, con cada imagen mirando hacia ti. Abre tu corazón a las cartas y a sus energías y afirma en voz alta la siguiente intención, u otra que te venga instintivamente...

"Amoroso(s) ángel(es) guardián(es),
ayúdame/ ayúdenme a que todas mis lecturas

de cartas sean precisas, beneficiosas y sanadoras para todos los implicados. Ayúdame/ayúdenme a escuchar, sentir, conocer y llegar fácilmente a la verdad de cada lectura a medida que fortalezco mi conexión contigo/con ustedes y con los ángeles de este mazo. Gracias ¡Que así sea!".

Ahora que tu mazo está limpio y consagrado, observa una carta a la vez. Conecta con el ángel, el símbolo sagrado o la virtud mientras contemplas las palabras, los colores, el simbolismo y la luz innata que contienen. Presta atención a lo que los ángeles llaman "piel de gallina de la verdad": piel de gallina energética que significa que estás recibiendo guía divina y confirmaciones en el momento.

Comienza a barajar las cartas, llevando en tu corazón una pregunta que te gustaría que te respondieran, orientación sobre cómo sanar y potenciar un aspecto de tu vida, o simplemente preguntando: "Ángeles, ¿qué necesito saber ahora mismo?". Si una carta salta del mazo, esta carta eres tú. Si no cae ninguna carta, cuando sientas que ha llegado el momento de dejar de barajar, elige una o varias, prestando atención a las indicaciones internas como "**divide el mazo**", "**elige la primera carta de la parte superior**", "**reflexiona sobre las imágenes**". Como has pedido ayuda a tus ángeles de la guarda, ellos te hablarán a través de tus sentidos intuitivos e instintivos. Recuerda: ¡la intención lo es todo! Donde se concentra la energía, fluye. Ten siempre una intención clara sobre lo que deseas que te guíe y tus ángeles reflejarán lo que necesitas saber. ¡No hay una forma correcta o incorrecta de leer estas cartas, tan solo la forma de la luz! Es decir, mantente ligero, diviértete y recuerda que tus ángeles siempre están contigo.

Fomentar la confianza y conexión con los ángeles

Durante los últimos 13 años de enseñanza de Angel Healing®, la pregunta que más recibo es: "¿Cómo puedo aumentar mi conexión angelical?". Debido a que este oráculo es polivalente y funciona como puente entre la adivinación, la sintonización angelical, la sanación práctica y mucho más, los ángeles quisieron compartir un elemento básico de esta modalidad de sanación, que está constituido por los cuatro pasos esenciales (respiración, centrado, enraizamiento y conexión) los cuales aseguran que estés arraigado a tu propia luz, libre de dudas egoicas y receptivo a la guía angelical. Con solo unos minutos que toma seguirlos, notarás cómo mejoran cualquier práctica energética, desde tus lecturas angelicales hasta la meditación, la sanación o incluso tener mejores relaciones sexuales. Pruébalos y nota lo diferente que te sientes antes y después.

Los cuatro pasos esenciales

Paso 1: Respiración: Cierra los ojos y utiliza la respiración fuente. Deja ir todo lo anterior a este momento. Disfruta cómo el aire lleno de luz te alinea conscientemente con la Fuente.

Paso 2: Centrado: Dirige tu atención a tu corazón, imaginando que estás parado dentro de éste. Con cada inhalación tu corazón se llena de luz dorada; déjate bañar por ella. Si surgen pensamientos, obsérvalos y vuelve a centrar tu atención en el corazón. Experimenta tu ser, centrado como el corazón de la creación.

Paso 3: Enraizamiento: Imagina raíces doradas que crecen desde la parte superior y la base de tu corazón; las que crecen hacia abajo se mueven a través de tus chakras inferiores hacia el corazón de la Madre Tierra. Siente cómo su amor divino femenino vuelve a ti mientras respiras su energía en tu cuerpo. Las raíces de la parte superior de tu corazón se mueven a través de tus chakras superiores y hacia el corazón del Sol. Siente cómo el amor sagrado masculino vuelve a ti mientras traes esta energía a tu cuerpo.

Paso 4: Conexión: Experimenta la quietud y las vibraciones más sutiles en ti y a tu alrededor. Afirma con convicción: "Soy conciencia amorosa pura como el reflejo de la Fuente". Ahora conéctate con tu(s) ángel(es) guardián(es)/Archeiai/ Arcángeles. Habla con ellos, hazles preguntas, canalicen juntos la sanación o colaboren creativamente, confiando en que la primera sensación, respuesta, intuición o visión creativa provenga de los ángeles.

Invita al ángel o a los ángeles a permanecer contigo durante un periodo de tiempo determinado (unos minutos, horas, días, semanas) en función de tu intención. Observa y percibe su firma energética única para saber en el futuro cuándo están contigo. Y, llegado el momento de poner fin a la comunicación, realiza los cuatro pasos esenciales: pide al ángel que se aleje y salga de tu campo energético para desconectar, conéctate con la Tierra, vuelve a tu centro con respiraciones profundas y da las gracias al ángel o ángeles.

Usos múltiples de las cartas

La creación de las ilustraciones de las cartas tomó cinco años, ya que están compuestas por muchas capas de geometría sagrada, códigos de luz cristalina, rayos de la Fuente y matices brillantes para dar vida a todos los ángeles.

Te invito a comenzar meditando con estas obras de arte llenas de vida para experimentar su magia. Las cartas se activan para guiarte hacia un lugar seguro y sagrado en el Cielo que está reservado para transmitir sintonizaciones de Angel Healing®. Todo lo que necesitas hacer es establecer la intención de sintonizar con el ángel y/o la energía sagrada que la carta representa y tu ser superior te llevará ahí.

Te recomiendo sintonizar con la conciencia y la vibración de cada ángel, fusionándolas con las tuyas, antes de empezar a trabajar con las cartas. Si quieres ser guiado en este viaje, puedes descargarte la grabación gratuita, "Attuning to Angels" en **www.CalistaAscension.com.**

Más usos sugeridos:

1. Utiliza las cartas como un oráculo tradicional para obtener mensajes reveladores, o pasos para llevar a cabo una acción. Escógelas intuitivamente o trabaja con la tirada de cartas tal como está dispuesto a continuación.

2. Recibe/da sanación angelical, atrayendo la forma más pura de luz de amor que está presente en cada carta (a continuación, se sugieren las disposiciones de los chakras).

3. Duerme con las cartas. Elige una carta y pide al ángel o a la energía sagrada que te sumerja en su luz mientras duermes. Luego anota en tu diario los sueños, percepciones y mensajes que recibes.

4 Honra a los ángeles creando un altar de ángeles. Coloca en tu altar la carta del Arcángel con el que te gustaría trabajar. Enciende una vela y pide su guía, amor o apoyo.

5 Potencia objetos/alimentos/cristales utilizando la carta del símbolo del satélite.

6 Lleva tus manifestaciones al siguiente nivel utilizando la carta del símbolo de equilibrio.

7 Visita tus otras vidas y el viaje del espíritu utilizando la carta del símbolo de la ascensión.

8 Conviértete en un ángel en formación. Después de sintonizar con un ángel determinado, pregúntale si puedes convertirte en su alumno para aprender de ella o él y, con el tiempo, convertirte en un modelo viviente de sus virtudes. Recorre cada carta una por una para conocer al ángel, recibir iniciaciones o simplemente estar en su campo de resonancia para fortalecer la relación entre ustedes.

9 Disfruta del juego del ángel de 44 días. Para una profunda transformación personal, establece la intención de lo que estás dispuesto a crear, sanar, transformar, conocer o potenciar. Programa en tu calendario 44 días para trabajar todo el mazo, disfrutando de cada ejercicio que aparece en las cartas, empezando por la Archeia Fe (carta 1) y terminando con la Archeia Fuente (carta 44). Puedes ampliarlo hasta convertirlo en una aventura de 44 semanas para profundizar de verdad. Anota tus experiencias a medida que avanzas.

Elévate como un ángel

Cada carta contiene cinco secciones descriptivas que incluyen mensajes directos de amor de los ángeles, además de significados invertidos cuando, por ejemplo, las cartas salen del mazo boca abajo. Al igual que los mejores maestros que nos retan y motivan a alcanzar la excelencia, los mensajes invertidos sirven como llamadas de atención divinas. Acéptalos si resuenan contigo.

También encontrarás la sección "Elévate como un ángel" que te ayudará a encarnar y expresar a los ángeles a través de experiencias guiadas, técnicas de resolución, visualizaciones y rituales angelicales.

Por último, hay una "Bendición" que te servirá para integrar la medicina de los ángeles en tu vida cotidiana. Estas afirmaciones, al igual que todos los mensajes, herramientas, prácticas y sintonizaciones, están codificadas con frecuencias de luz para traer tu Cielo a la Tierra.

Tirada de cartas para la adivinación

1 Carta del día

Para una revelación inmediata o como meditación del día. Por la mañana, o siempre que se te pida que elijas una sola carta, sigue los cuatro pasos esenciales mientras tienes en mente la pregunta: "Ángeles, ¿qué necesito saber hoy?". Lleva la carta contigo a lo largo del día y reflexiona sobre ella antes de acostarte, ya que los ángeles pueden inspirarte ideas adicionales.

1

2 Resolución de conflictos

Ofrece una vía para resolver conflictos, que pueden ser internos o externos. Utiliza esta tirada para transformar patrones repetitivos, problemas o comportamientos destructivos.

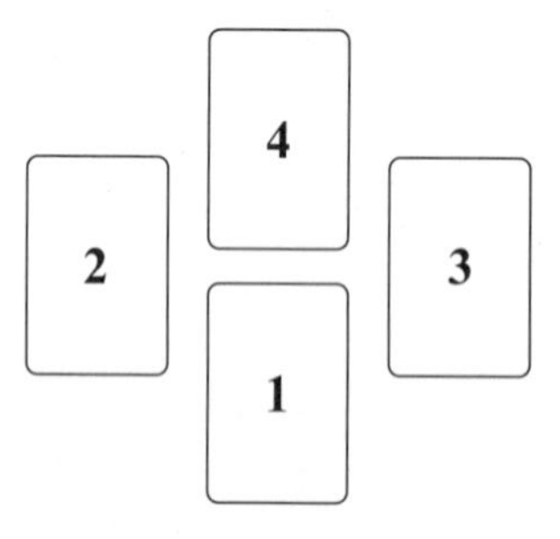

1 – representa la raíz subyacente a la situación/problema.

2 – representa tu perspectiva consciente.

3 – representa la perspectiva de la otra persona o de tu yo superior.

4 – representa el ángel/energía sagrada al cual recurrir para facilitar la coherencia y la transformación positiva.

3 Alas de libertad

Al igual que tus propias alas de ángel, esta tirada de cartas puede utilizarse para favorecer el empoderamiento personal, sanación y/o consuelo. Te revelará lo que necesitas para lograr una mayor libertad y equilibrio, en tu vida y en tu camino espiritual.

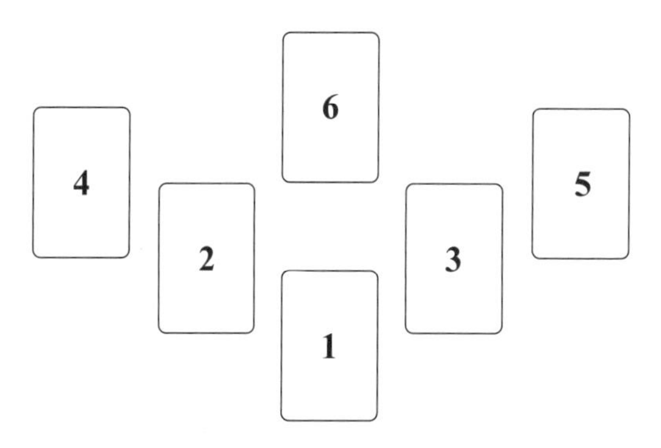

1 – representa el momento en el que te encuentras ahora.

2 – representa la historia/herida/sombra interior femenina consciente o subconsciente.

3 – representa la historia/herida/sombra interior masculina consciente o subconsciente.

4 – representa la perspectiva femenina superior y es una invitación para aquello que necesitas internalizar.

5 – representa la perspectiva masculina superior y es una invitación para aquello que necesitas proyectar en tu vida.

6 – representa la sabiduría iluminadora de los ángeles y la energía a la cual recurrir para lograr el equilibrio de todo tu ser.

Tirada de cartas para la sanación

Al colocar las cartas, con la imagen hacia abajo sobre el cuerpo, las frecuencias angelicales sanadoras contenidas en cada una de ellas fluyen hacia el interior. Es posible que desees colocar una carta sobre algún punto del cuerpo donde sientas malestar o molestias, o en un chakra específico (centro de energía) para facilitar un cambio positivo. Para saber qué ángel se relaciona con cada chakra, consulta el apéndice y las tiradas de carta que a continuación te sugiero. Diviértete dando rienda suelta a tu creatividad con la tirada de las cartas y déjate guiar por los ángeles.

1) Activación angelical de los chakras

Utiliza esta tirada de cartas para equilibrar y activar tu sistema de 13 chakras, recibir inspiración y sanación angelical, o simplemente cuando necesites un refuerzo energizante. Algunas cartas pueden solaparse y eso está bien. Si otra persona puede colocar las cartas en tus chakras causal, estrella del alma y puerta estelar, estupendo. Si no, coloca las cartas para estos chakras encima de la carta de la coronilla y establece la intención de que tus centros superiores también reciban equilibrio y energía

En un lugar cómodo donde puedas tumbarte, sigue los cuatro pasos esenciales y, a continuación, coloca las siguientes cartas en posición horizontal sobre cada chakra, empezando por:

Estrella de la Tierra (30 cm por debajo de los pies)
~ Arcángel Sandalfón (carta 10)

Base (debajo de los genitales)
~ Arcángel Gabriel (carta 6)

Sacro (5 cm por debajo del ombligo)
~ Arcángel Zadkiel (carta 18)

Ombligo (en el ombligo)
~ Archeia Libertad (carta 15)

Plexo solar (5 cm por encima del ombligo)
~ Arcángel Uriel (carta 8)

Corazón (centro del pecho)
~ Arcángel Raguel (carta 26)

Corazón superior (entre la garganta y el corazón)
~ Archeia Caridad (carta 19)

Garganta (en el cuello)
~ Archeia Fe (carta 1)

Tercer ojo (en la frente)
~ Arcángel Raziel (carta 14)

Coronilla (parte superior de la cabeza)
~ Archeia Claridad (carta 21)

Causal (5 cm por encima de la cabeza)
~ Arcángel Chamuel (carta 20)

Estrella del alma (15 cm por encima de la cabeza)
~ Archeia Constanza (carta 11)

Puerta estelar (46 cm por encima de la cabeza)
~ Arcángel Metatrón (carta 12)

Después de colocar las cartas, activa la sanación de tus chakras diciendo en voz alta con convicción:

"Ahora activo, alineo y cargo mis chakras con la más pura energía angelical. Amoroso(s) ángel(es) guardián(es), gracias por tu/su asistencia y por asegurarse que este tratamiento de sanación contribuya de forma incondicionalmente positiva con mi experiencia y con la verdad. Gracias. ¡Que así sea!".

Relaja las manos a los lados o colócalas sobre el cuerpo, sintiendo cómo la luz angelical se mueve a través de ti y dentro de ti. Disfruta de esta sesión edificante durante al menos 20 minutos, dando gracias a los ángeles después y anotando tu experiencia en un diario.

2) Relajación angelical

Utiliza esta disposición para relajarte, conectarte a Tierra o antes de acostarte para disfrutar de una noche de sueño reparador. En un lugar cómodo donde puedas tumbarte, sigue los cuatro pasos esenciales y, a continuación, coloca las siguientes cartas en posición horizontal sobre cada chakra (consulta la tirada de cartas anterior para ver la ubicación de los chakras), empezando por:

Tercer ojo
~ Arcángel Rafael (carta 4)

Corazón
~ Archeia Piedad (carta 29)

Plexo solar
~ Archeia Gracia (carta 7)

Base
~ Archeia Serenidad (carta 31)

Después de colocar las cartas, activa la sanación diciendo en voz alta con convicción:

"Me encuentro en este momento envuelto en amor angelical puro. Gracias, ángel(es) guardián(es) por mantener el espacio y ayudarme a relajarme. ¡Que así sea!".

Relaja las manos a los lados o apóyalas en el corazón mientras la luz de amor más pura se mueve a través de ti. Disfruta de esta sesión reparadora durante al menos 20 minutos, dando gracias a los ángeles al finalizar y escribiendo tu experiencia en un diario.

Limpieza y almacenamiento de tus cartas

Los ángeles indican que, si lees cartas del oráculo a terceros, tengas siempre un mazo que sea solo para ti. Si este va a ser tu mazo personal, duerme cerca de él para que tu conciencia continúe conectando con su lenguaje simbólico. Esto acelerará tu comprensión de las cartas y promoverá tu camino de ascensión. Cuando el mazo no esté en uso, selecciona una carta (sin mirar su imagen) y colócala en la parte inferior del mazo con su imagen mirando hacia el resto de las cartas. Se trata de una técnica ancestral que sella la energía del oráculo, al tiempo que honra su misterio y su magia.

Si piensas utilizar estas cartas con otras personas, utiliza la respiración fuente para consagrar el mazo entre usos. Dibujar el símbolo del satélite (carta 35) sobre el mazo mantendrá tu oráculo resplandeciente mientras no esté en uso.

LAS ARCHEIAI Y LOS ARCÁNGELES

1. ARCHEIA FE
"Dirige con confianza"

Mensaje del ángel

"Te estoy ayudando a desmitificar todas las percepciones negativas para que puedas conocerte a ti mismo como el creador consciente de tu vida y LEVANTARTE".

Significado ampliado

La Archeia Fe, cuyo nombre deriva del latín *fidere*, que significa "confiar", trabaja con el rayo azul, dorado y zafiro de la voluntad divina, el poder y la protección, con su homólogo el Arcángel Miguel. Fe (también conocida como Mikaela) tiene la poderosa presencia de una valquiria nórdica mezclada con una energía suave y abierta. A partir de 2011, ha estado enfocando su luz en la Tierra para ayudar a la humanidad a ascender. Lleva menos armadura que Miguel, ya que su inquebrantable fe es su protección. Fe te está guiando para que veas cómo puedes aportar (y ser) fe en esta situación. ¿Ante qué necesitas rendirte y a qué debes entregarte para sentirte mejor? Alquimiza la incertidumbre utilizando el fuego azul dorado de Fe y descansa sabiendo que *puedes hacerlo.*

Invita a la Archeia Fe para tener confianza, saber que siempre cuentas con apoyo, liderazgo, seguridad en ti mismo, ver lo mejor en todos y comprender los rayos de la Fuente.

Significado de la carta invertida

No permitas que la duda paralice tu autoestima y tu capacidad de actuar, ten valor para alcanzar lo que es importante y alégrate de los beneficios de la responsabilidad personal.

Elévate como un ángel: Alas de confianza

Coloca la carta de Fe sobre tu corazón con las manos apoyadas encima. Entra en estado de meditación, sintiendo a la Archeia Fe y al fuego azul dorado contigo.

Respira en este fuego purificador, permitiendo que llene tu corazón por completo y desde ahí conecta con el centro de la Tierra y el centro del sol. Pide a Fe que purifique tu campo energético de influencias negativas y retira en este momento cualquier envoltura energética, collar o cadena de tu garganta.

Como todas las liberaciones, Fe te conecta con la Fuente; y en respuesta, tus alas comienzan a crecer desde la parte posterior de tu corazón. Siente tus alas y observa su tamaño, color, calidad y tipo.

Sumerge tus alas en el corazón de la Madre Tierra y en el corazón del Cielo. Abre tus brazos y mueve físicamente tu cuerpo en sintonía con tus alas. Ten presente que tus alas pueden estabilizarte, consolarte y escudarte en cualquier tormenta de la vida, ayudándote a ser el ojo de la tormenta para que, pase lo que pase, permanezcas en perspectiva divina. Inhala hondo mientras comienzas a fundirte con la Archeia Fe y siente su certeza inquebrantable moviéndose a través de ti, manifestándose en ti.

Antes de concluir el viaje y dar las gracias a Fe, proponte llevar tu vida con mayor confianza sabiendo que tus ángeles, como buenas alas, siempre te cubrirán las espaldas.

Bendición

Con los brazos abiertos, di en voz alta tres veces con convicción:

"Me regocijo al saber que soy el diseñador de mi vida".

2. ARCÁNGEL MIGUEL
"Da un paso hacia el empoderamiento"

Mensaje del ángel

"Lo que te impida sentirte libre y empoderado, suéltalo de raíz y realinéate con la fuente".

Significado ampliado

El Arcángel Miguel, cuyo nombre refleja "liderazgo divino", trabaja con el rayo azul y zafiro de voluntad divina, poder y protección, con su contraparte la Archeia Fe. Miguel (también conocido como Mikha'el) es el ángel más cercano a la Fuente. La humanidad se ha apoyado en Miguel en busca de protección, pidiéndole a su espada de la verdad que corte las cuerdas energéticas del miedo; lo cual hace con gusto, recordándonos nuestro propio poder para mantenernos centrados. Cortar las cuerdas, aunque sea una curita espiritual, útil en el momento, no nos da poder a largo plazo; sin embargo, aprender del miedo sí. Miguel te pide que indagues en tu corazón para escuchar los miedos que llevas contigo: ¿qué te están enseñando? Libera todo aquello que sea menos que amor y ten la certeza de que no hay nada más poderoso en la creación que **tú**.

Invita al Arcángel Miguel para transformar la autocrítica, eliminar todas las formas de ataduras energéticas y densidad, obtener fuerza física, expandir el chakra de la garganta y comunicar tu verdad.

Significado de la carta invertida

Entrégale a Miguel los apegos poco sanos de los que quieres desprenderte.

Elévate como un ángel: Decreto de empoderamiento

Utiliza este decreto cuando te sientas inseguro, atrapado o agobiado por la densidad.

Entra en un estado centrado. Imagina que estás en el Cielo con la Archeia Fe a tu izquierda y el Arcángel Miguel a tu derecha. Respira en su amor incondicional; mientras exhalas, te rodeará un pilar de luz dorada y encarnarás la espada de Miguel.Concientiza todo aquello de lo que estás listo para desprenderte; pide que te muestre el aprendizaje positivo y la comprensión de cada circunstancia para obtener un mayor empoderamiento; acepta las revelaciones que surjan; e, investido de autoridad divina y como ser soberano y libre, di lo siguiente en voz alta:

"Elijo ahora descrear, eliminar, desvincular y desnarrar el miedo, la exageración y el estrés en todos los niveles del tiempo, el espacio, las dimensiones y narrativas dramáticas de la realidad. Elijo liberar todos los acuerdos, apegos, contratos y votos que me han mantenido atascado en la ira, la fantasía, la ilusión y el malestar. Elijo liberar todos los cordones, huellas, raíces y redes de agendas, influencias, programas y entidades controladoras. Te los entrego a ti, Arcángel Miguel, para que los transmutes y purifiques ahora.
[Inhala... exhala, dando gracias].
Me doy el permiso de seguir adelante con mi vida y continuar mi crecimiento espiritual.
Estoy completamente empoderado/a.
YO SOY. ¡Que así sea!".

Bendición

Con las manos en el corazón, di en voz alta tres veces con convicción:

"Es seguro vivir mi verdad y reconocerme como un ser de amor infinito".

3. ARCHEIA VIRTUD
"Abre tu corazón"

Mensaje del ángel

"Entrega tu corazón a la sanación para la que estás preparado. Acepta tus sentimientos con autenticidad y el malestar desaparecerá".

Significado ampliado

La Archeia Virtud, cuyo nombre deriva del latín *virtutem*, que significa "bondad", trabaja con el rayo verde, rosa y esmeralda de la sanación, la verdad y el amor divino, con su homólogo el Arcángel Rafael. Virtud (también conocida como Mareia) refleja nuestra santidad innata y nuestro poder para sanar y también te ayuda a amarte a ti mismo, para que recuerdes quién eres. Es una comadrona para aquellos que acaban de atravesar (o están atravesando) su despertar espiritual y nos ayuda a ser padres de nosotros mismos para que podamos convertirnos en el maestro que vinimos a ser. Abre tu corazón e imagina palomas (el símbolo de Virtud) trayendo paz a tu mente, cuerpo y alma. No puedes cambiar los acontecimientos pasados, pero puedes cambiar la forma en que respondes a ellos. Concéntrate en el perdón para que con él puedas liberar anclajes emocionales, detonantes y los traumas que generan malestar. Haz las paces con la otra persona, contigo, con el entorno y/o con la situación. Déjalo ir; dale paso al amor.

Invita a la Archeai Virtud al despertar y el desarrollo espiritual, la integración de la paz y la comprensión, la honestidad, la expansión del corazón y de los chakras superiores del corazón y el consuelo en momentos oscuros/densos.

Significado de la carta invertida

Lo ves todo a través del filtro de tus heridas del pasado; aplica el perdón para ver las cosas con más claridad.

Elévate como un ángel: Despertando tu corazón elevado

Esta meditación te ayudará a despertar tu corazón crístico (también conocido como línea de cristal) para que la sanación se produzca sin esfuerzo.

Coloca la carta de Virtud en el chakra superior del corazón, a unos centímetros por encima de este último, con tus manos sobre la carta. Este chakra regula la glándula timo y estimula el flujo del amor incondicional. Siente cómo la Archeia Virtud te envuelve en su suave luz rosa. Respira esta energía edificante y deja que se expanda por tu aura al exhalar. Descansa en el espacio sagrado de tu corazón elevado… Siéntete bañado en amor incondicional puro. La energía de la compasión y el perdón comenzará a fluir y, con cada exhalación, tu corazón se expandirá. Mantente receptivo y continúa abierto a esta experiencia; ya no habrá malestar ni desarmonía dentro de ti ni a tu alrededor. Ahora eres el puro reflejo de la fuente como todo y nada, existiendo en todas partes y a la vez en ninguna; pura virtud que permanece fluyendo. Aterriza este sentimiento en tu cuerpo mientras te alineas con la vibración de salud y bienestar que es tu derecho al nacer. Quédate aquí el tiempo que desees y luego agradece a la Archeia Virtud para cerrar el viaje.

Bendición

Con los brazos abiertos, di en voz alta tres veces con convicción:

"Es seguro para mí abrir mi corazón al amor
y a cambio ser amado".

4. ARCÁNGEL RAFAEL
"Prioriza tu salud"

Mensaje del ángel

"Encuentra la razón por la cual quieres ser la versión más saludable y vibrante de ti mismo. Entonces observa como tu vida se transforma".

Significado ampliado

El Arcángel Rafael, cuyo nombre está asociado a la sanación, trabaja con el rayo verde, rosado y esmeralda de la sanación, la verdad y el amor divino, con su contraparte la Archeia Virtud. Rafael (también conocido como Israfil), al ser sinónimo de ciencia espiritual, aporta formas prácticas de promover la salud. Para él, ver es crear. Por lo tanto, para sanar tu cuerpo, visualízalo con una salud radiante.

Ningún diagnóstico o pronóstico externo puede compararse con tu luz interior. Tú decides si avanzas hacia el bienestar o no. Recuerda, los ángeles no te curan, pero magnifican la creencia de que puedes curarte a ti mismo. Pídele a Rafael que refuerce esta creencia y que te inspire formas de mejorar tu salud, tu sueño y tu dieta. Invitarlo a acompañarte cuando hagas ejercicio, estiramientos o respiraciones puede ser muy revelador. Al cuidar de tu cuerpo, tu mentalidad cambiará, tu autoestima se disparará y tu forma de presentarte en la vida cambiará positivamente.

Invita al Arcángel Rafael para transformar el victimismo y las historias de enfermedad, la desintoxicación física, la expansión del chakra del tercer ojo (visión desde la Fuente) y para unir espiritualidad y ciencia.

Significado de la carta invertida

Encuentra una actividad que te guste para que el ejercicio no te resulte una tarea pesada o aburrida. Sé más fuerte que cualquier excusa que te impida poner tu salud en primer lugar.

Elévate como un ángel: Respiración fuente

Esta antigua técnica de respiración se nutre de tu fuente de luz y trae elevación dondequiera que se enfoque. Puedes utilizarla para limpiar, abrir e iluminar tu cuerpo desde adentro hacia afuera; o también puedes expresarla hacia el exterior en el cuidado de tu piel, cristales y en los alimentos y el agua antes de consumirlos. Rafael nos enseña que cada respiración, comida, entrenamiento y sueño es una oportunidad para una mayor salud y más aún cuando utilizamos la respiración fuente.

Tómate un momento para centrar y enraizar tu energía. Abre tu corazón; inhala hondo y, al exhalar, imagina que tu respiración es dorada, llena del amor sanador de Rafael. Exhala con tu intención dirigida a aquello que estás potenciando. Si el foco es tu cuerpo, recuerda: a través de los ojos de tu ser interior, ya eres perfecto, sano y completo. Usar la respiración fuente te ayudará a alinearte con este conocimiento y, con el tiempo, tu cuerpo físico reflejará esta verdad.

Bendición

Con las manos en el corazón, di en voz alta tres veces con convicción:

"Estoy justo donde necesito estar y, mientras me relajo, recuerdo que soy uno con la Fuente, uno con la salud; ya soy completo y radiante".

5. ARCHEIA ESPERANZA
"Espera lo mejor"

Mensaje del ángel

"Solo espera cosas buenas; te mereces lo mejor.
Cree en tus capacidades mientras te elevas
por encima de toda duda".

Significado ampliado

La Archeia Esperanza, cuyo nombre deriva del latín *sperare*, que significa "tener esperanza", trabaja con el rayo blanco y cristalino de la armonía, la pureza y la comunicación, con su homólogo el Arcángel Gabriel. Esperanza (también conocida como Annuciata) personifica la "inocencia en el flujo". Asimismo, al ser la fuerza que respalda a Gabriel, puede ayudarte a acceder a tu poder interior.

En este sentido, camina sobre las aguas para demostrar que todo es posible. Su halo magnifica esta certeza impenetrable; te recuerda que la esperanza no es algo que hay que ganar, sino una vibración en la que hay que elevarse. Permítele esclarecer cualquier duda que tengas para que puedas subir en espiral hacia ella y hacia pensar y sentir como la Fuente. Una forma estupenda de elevar tu vibración con esta Archeia es meditar, estar en o cerca del agua y traer lirios blancos (la flor de la esperanza).

Invita a la Archeia Esperanza a la calma, la guía interior, la alineación del yo con el yo superior, la elevación de la vibración, el optimismo, la seguridad de que siempre eres uno con la Fuente, así como al desarrollo de los chakras del ombligo y la base.

Significado de la carta invertida

No dejes que tus emociones te dominen. Respétalas, pero no te quedes demasiado tiempo en modo reacción. Busca la calma.

Elévate como un ángel: Elevarse hacia la esperanza

Conecta la siguiente visualización con afirmaciones motivadoras y arte en tu espacio (como el simbolismo del arcoíris) para mantener tu vibración en un estado de esperanza.

Acude a las aguas translúcidas de Grecia dentro de la carta; respira los verdes y azules del agua y la luz nacarada de la Archeia Esperanza. Siéntela contigo mientras cierras los ojos y te elevas a una frecuencia de calma... Lleva todos los pensamientos y sentimientos a esta paz mientras tú y tu ser superior se convierten en uno... Respira el aire fresco del mar e imagina la versión más esperanzadora de ti. Siente cómo eres y cómo te sientes. ¿Cómo vives tu vida? ¿Cómo ha cambiado tu estado vibratorio y mentalidad? Adéntrate en este futuro lleno de esperanza sabiendo que todos los caminos de la oportunidad están abiertos para ti. Si aparecen obstáculos ante ti, ten la certeza de que la esperanza encontrará un camino a través de ellos.

Inhala aire… conviértete en la versión de ti más confiada. Para cerrar, exhala, agradeciendo a la Archeia.

Bendición

Con los brazos abiertos, di en voz alta tres veces con convicción:

"Soy un amante de la vida y sus infinitas posibilidades".

6. ARCÁNGEL GABRIEL

"Expresa tu verdad"

Mensaje del ángel

"Siente las emociones y expresa aquello que necesita ser dicho. Es hora de decir tu verdad".

Significado ampliado

El Arcángel Gabriel, cuyo nombre refleja "fuerza divina", trabaja con el rayo blanco y cristalino de la armonía, la pureza y la comunicación, con su homóloga la Archeia Esperanza. Gabriel (también conocido como Jibril) nos ayuda a aprovechar nuestra fuerza emocional para que podamos ser auténticos con nosotros mismos y con los demás. Su vasta presencia es como un espejo que refleja únicamente nuestra verdad. Si tienes hijos (o trabajas con niños), pídele a Gabriel que te ayude a atender mejor sus necesidades. Con mayor frecuencia están encarnando niños más sensibles y psíquicos que requieren una atención extra. Permite que la próxima generación se convierta en tu maestro, sabiendo que cuando conectas con los niños, también estás honrando a tu niño interior. Sintoniza con lo que este necesita, lo que desea darte y cómo juntos pueden crecer de verdad.

Invita al Arcángel Gabriel para equilibrar las emociones, la comprensión, el parto, la paternidad y la adopción, la creatividad a través de la escritura, la purificación (psíquica, emocional y ambiental) y el desarrollo de los chakras del sacro y el ombligo.

Significado de la carta invertida

Suavizar la rigidez. Abandonar las máscaras. Comunícate desde el corazón para honrar a todos los implicados.

Elévate como un ángel: Escribir con tu niño interior

Este ejercicio catártico puede sanar la raíz del dolor y el vacío emocional. También es posible que después te encuentres más alegre y animado.

Toma papel y bolígrafo y pide al Arcángel Gabriel que se siente contigo. Inhala su rayo cristalino para inspirar una mayor honestidad y comprensión. Cierra los ojos e imagina que tu niño interior da un paso al frente. Observa su edad, su estado de ánimo, lo que lo que lleva consigo y otras impresiones significativas. Invítale a escribir a través de ti lo que está dispuesto a compartir. Asegúrale que le escucharás como un observador compasivo. Respira hondo y lee su mensaje.

Ahora escribe la respuesta desde el corazón y mantente centrado ahí para disfrutar de este espacio de reconocer y compartir la verdad. Cambia de bolígrafo tantas veces como te parezca mejor. Recuerda que tus emociones no te definen, pero escucharlas puede poner fin a ciclos de comportamiento destructivo relacionados con ellas. Da amor a tu niño interior mientras resuelves hacer las paces con el pasado. No importa lo que sucedió, no tienes por qué seguir viviendo allí a nivel de pensamientos, sentimientos y comportamientos.

Pregúntale a tu niño interior cómo puedes honrarle en tu vida cotidiana y, para terminar, dale un fuerte abrazo. Mientras das las gracias a Gabriel, nota qué tan diferente te sientes.

Bendición

Con las manos en el corazón, di en voz alta tres veces con convicción:

"Al atender mis necesidades y seguir adelante con aquello que me sostiene, contribuyo a un mundo mejor".

7. ARCHEIA GRACIA

"Fluir más, menos prisa"

Mensaje del ángel

"Fluye como la naturaleza, porque todo surge de ti y vuelve a ti. Todo se envuelve en el tiempo perfecto y en el orden perfecto".

Significado ampliado

La Archeia Gracia, cuyo nombre deriva del francés antiguo *graciier*, que significa "dar las gracias", trabaja con el rayo rubí de paz, devoción e inspiración, con su homólogo el Arcángel Uriel. Gracia (también conocida como Aurora), es el ángel del otoño y pinta amaneceres y atardeceres. Además, te inspira a dar vida a cualquier cosa; representa el lado más suave del plexo solar (la calma en el centro de tu fuego creativo). Conocer a Gracia es rendirse al tiempo y al ritmo de tu Yo superior; es permanecer en un estado en el que te das cuenta que no tienes que esforzarte para conseguir lo que quieres y que todo aquello que es para ti vendrá a ti. La Archeia Gracia te guía: no hay camino correcto ni incorrecto, solo el camino que te hace sentir bien. Saborea cada momento de tu vida, tanto si sientes quieres estar a solas, como si sientes que quieres aprovecharlo con tus seres queridos o con tus ángeles.

Invita a la Archeia Gracia para encontrar la calidez, la renovación, la liberación del agobio y de la necesidad de "mantenerse al día", así como la inspiración y la creatividad a través de la escucha, la devoción, la elegancia, la facilidad y la aceptación del cambio.

Significado de la carta invertida

Suelta lo que crees que no eres capaz de hacer, incluyendo la necesidad de complacer a los demás. Respira y déjalo ir.

Elévate como un ángel: Alinearse con Gracia

Hay un tiempo para la acción y un tiempo para la alineación. Esta meditación te llevará a la resonancia divina para que la creatividad pueda fluir fácilmente.

Siéntate erguido con las manos apoyadas en tu regazo. Pide a la la Archeia Gracia que permanezca contigo y siente cómo su rayo rubí otoñal te rodea. Recita el mantra *"La Gracia empieza conmigo"* de la siguiente manera: al decir la palabra *"La gracia"*, junta tu dedo índice con el pulgar; al decir *"empieza"*, junta tu dedo medio con el pulgar; al decir *"con"*, junta tu dedo anular con el pulgar; y al decir *"migo"*, junta tu dedo meñique con el pulgar.

Recita una y otra vez (durante al menos tres minutos): *"La gracia - empieza - conmigo"* y toca cada dedo que corresponde. Cierra los ojos y deja que la resonancia tranquilizadora de las palabras y su intención atenúen cualquier necesidad de hacer otra cosa. Respira hondo... ¡y disfruta!

Después, da las gracias a la Archeia Gracia y nota la diferencia que sientes en tu mente, cuerpo y estado de ánimo.

Bendición

Con las manos en el corazón, di en voz alta tres veces con convicción:

"Cada momento de mi vida es un milagro
para saborear y disfrutar".

8. ARCÁNGEL URIEL
"El éxito a través de la acción"

Mensaje del ángel

"Sigue las ideas y los impulsos que te mueven a la acción. Sé el arquitecto divino que viniste a ser".

Significado ampliado

El Arcángel Uriel, cuyo nombre refleja "fuego divino", trabaja con el rayo rubí de paz, devoción e inspiración, junto a su homólogo la Archeia Gracia. Uriel (también conocido como Auriel) tiene una energía ardiente y sin rodeos. Nos ayuda a aprovechar nuestro "guerrero interior", para que estemos absolutamente centrados en cumplir nuestros sueños, objetivos y visiones. Te insta a que no permitas que "el miedo a lo que pueda pasar" sea la razón por la que no pase nada. Haz algo cada día que alimente tu camino y tu propósito. Pídele a Uriel que ilumine tu sendero, si sientes que aún no lo has encontrado; él encenderá tu motivación interna y te inspirará a encontrar formas de ser más eficiente con tu tiempo y energía. Por ahora, céntrate en lo que puedes hacer hoy para acercarte a vivir tus sueños. Confía en aquellas ideas e impulsos reiterados que fluyen hacia ti y actúa en consecuencia. Ya sabes lo que tienes que hacer.

Invita al Arcángel Uriel para el autodominio, la guía intuitiva e intelectual, la motivación, la determinación, el servicio divino, el desarrollo de la clarividencia, el instinto visceral y el chakra del plexo solar, así como la creatividad a través de la acción con propósito.

Significado de la carta invertida

Acaba con los ciclos de procrastinación segmentando los proyectos en pequeñas partes. Céntrate en uno a la vez y celebra tus progresos a medida que avanzas.

Elévate como un ángel: Derrotar la inercia

Para este ejercicio, toma papel y bolígrafo. Respira hondo en tu chakra del plexo solar y afirma que eres uno con la Fuente. Invita al Arcángel Uriel a acercarse, sintiendo su fuego rubí dentro de tu plexo solar; pídele que te revele la resistencia, tanto consciente como subconsciente, que te impide crear y disfrutar de tu mejor vida.

Respira profundo, observando cómo el fuego rubí se expande alrededor de tu aura; y al exhalar, comienza a escribir las respuestas a lo siguiente: ¿Qué tipo de vida quieres crear? ¿Qué barreras se interponen? ¿Cómo te las impones a ti mismo? ¿Qué estás dispuesto a soltar y disolver en el fuego? Arroja cada energía, cada excusa y/o circunstancia al fuego de la alquimia, incluyendo las vibraciones de inercia, indiferencia, frustración y duda. Siéntete renovado y anota lo que necesitas para crear tu mejor vida. De esta lista, elige tres medidas que tomarás hoy para impulsarte hacia adelante. Respira la energía del compromiso y exhala dando las gracias al Arcángel Uriel.

Bendición

Con los brazos abiertos, di en voz alta tres veces con convicción:

"Soy un arquitecto del cambio y puedo hacer, ser y crear cualquier cosa. Mi visión y mi potencial son infinitos".

9. ARCHEIA PACIENCIA
"Confía en el proceso"

Mensaje del ángel

"Al igual que las flores crecen de la semilla, tus deseos están creciendo y pronto florecerán. Confía en el proceso. ¡Maravíllate ante la magia!".

Significado ampliado

El nombre de Archeia Paciencia deriva del latín *patientia*, que significa "resistencia"; trabaja con en el rayo arcoíris de la música, la manifestación y la integración, con su homólogo el Arcángel Sandalfón. Paciencia (también conocida como Shekinah) es el ángel de la Tierra. Representada como embarazada, refleja que tus deseos pueden tardar en madurar antes de poder nacer. A pesar de lo frustrante que puede sentirse en el momento, ella te guía para que "te mantengas abierto" y confíes en el surgimiento inevitable de tus deseos. Y es que la manifestación se produce al permitir (en vez de controlar) la forma en que trabaja el corazón y no la mente. Tus ideas, proyectos y sueños se están haciendo realidad. Relájate y disfruta el proceso de materialización.

Invita a la Archeia Paciencia para confiar en que eres digno de recibir, mantener la alineación con la Fuente, la gentileza, la fidelidad, el desarrollo del chakra base y del campo aúrico y la conexión con la naturaleza.

Significado de la carta invertida

Tus plegarias han sido escuchadas. Siente tus sueños vivos dentro de ti e imagina lo que sentirás cuando lleguen.

Elévate como un ángel: Ley dinámica de la paciencia

Lee esta ley espiritual cada vez que te sientas frustrado o impaciente. Empieza colocando la carta de la paciencia en tu corazón. Ten la intención de que la parte delantera y trasera de tu corazón abiertas por completo. Pide a la Archeia Paciencia que disuelva cualquier resistencia en tu aura en torno a recibir. Siente que te fusionas con ella y con tu potencial creativo, mientras lees lo que sigue a continuación:

"La paciencia es como una puerta abierta; es el equilibrio entre dar confianza y recibir fluidez. La naturaleza siempre tiene paciencia, pues nunca quiere ser verano e invierno a la vez. Las estaciones fluyen en un ciclo de

confianza; floreciendo en su orden y momento perfectos. La naturaleza nos enseña a ser pacientes; cultivar plantas nos enseña paciencia. Ver crecer a nuestros hijos puede enseñarnos a ser pacientes. Aceptar tu potencial creativo es la prueba definitiva de la paciencia.
Ser paciente es amarte a ti mismo plena, abierta, libre y abundantemente; es saber que todo lo que pides siempre se te concederá. Todo lo que sientes siempre se siente; todo lo que dices siempre se escucha. Confía (permítele entrar), recibe (permítele salir) al igual que con la respiración; incondicionalmente y sin esfuerzo.
Todo lo que es importante para ti vendrá a ti, porque tú lo eres todo, amado ser".

Bendición

Con los brazos abiertos, di en voz alta tres veces con convicción:

"Soy el corazón de la creación y soy uno con la Fuente. Mis sueños están naciendo y soy digno de recibirlos".

10. ARCÁNGEL SANDALFÓN
"Céntrate y conecta con la Tierra"

Mensaje del ángel

"Regresa al centro concentrándote en el aquí y ahora; suelta cualquier necesidad de mantenerte al día".

Significado ampliado

El Arcángel Sandalfón, cuyo nombre refleja "oraciones en acción", trabaja con el rayo arcoíris de la música, la manifestación y la integración, con su homólogo la Archeia Paciencia. Sandalfón (también conocido como Ophan) es uno de los ángeles más elevados. Tiene los ojos cerrados porque está completamente en el momento, enraizado en el amor puro. Él te empuja a desconectar del ajetreo diario para reagrupar tu energía; y una de las mejores formas de lograrlo es escuchar las melodías de la naturaleza. Deja que el sonido del aire moviéndose entre los árboles o el silencio del agua te tranquilicen; apaga el estruendo de la vida moderna descansando en la belleza y la sencillez del momento. Luego respira y encuentra tu centro.

Invita al Arcángel Sandalfón para el agradecimiento, las oraciones contestadas, la materialización de tus manifestaciones, el puente entre el Cielo y la Tierra, el desarrollo del chakra de la estrella de la Tierra y la sanación con música y sonido.

Significado de la carta invertida

Suelta ante Sandalfón la tensión, disonancia y cualquier sensación de desorden. Él transformará estas energías en prana renovador de vida, para que puedas manifestar de manera más efectiva.

Elévate como un ángel: Manifestación a través del sonido

El Arcángel Sandalfón comparte que la clave para manifestar es acoplar el sonido con la resonancia magnética de tu corazón.

Comienza pensando en algo que quieras traer a tu vida; cierra los ojos y entra en estado de meditación, imaginando que Sandalfón está detrás de ti. Él pondrá sus manos sobre tus hombros con suavidad y de inmediato te sentirás arraigado como el árbol más fuerte que existe. Inhala en tu corazón la luz arcoíris dorada; y deja que este se llene completamente, hasta que empiecen a crecer raíces desde su base que fluyan hacia abajo por todo tu cuerpo, a través de tu chakra de la estrella de la Tierra (30 centímetros por debajo de la planta de tus pies) y hacia el centro de la Madre Tierra. Siente la conexión e inhala la energía de la Tierra hacia tu corazón. Abre bien los brazos y empieza a emitir el sonido *"ahh"*. Inhala cuando lo necesites y, al exhalar, sigue emitiendo este tono sagrado. Continúa durante al menos tres minutos, sintiendo que tu corazón se expande y se vuelve más mágico. Siente el sonido como un canto de sirena que atrae tus deseos y les da forma. Cuando estés listo para cerrar, agradece a Sandalfón por brindar el espacio.

Repite esta técnica cada vez que quieras introducir algo nuevo en tu vida.

Bendición

Con las manos en el corazón, di en voz alta tres veces con convicción (insertando lo que estás invocando):

"Me despierto, me activo y me alineo con la vibración de ________________ dentro de mí y en mi vida".

11. ARCHEIA CONSTANZA
“Trae el Cielo a la Tierra”

Mensaje del ángel

“Permite que tu grandeza interior se mueva a través de tus pensamientos, palabras y acciones, mientras traes tu versión del Cielo a la Tierra”.

Significado ampliado

La Archeia Constanza, cuyo nombre deriva del latín *constantia*, que significa “firme”, trabaja con el rayo diamante de la ascensión universal y la geometría sagrada, con su contraparte el Arcángel Metatrón. Constanza (también conocida como Sofía) es como el vasto cielo nocturno; es la matriarca universal y el ojo que todo lo ve. Te ayuda a conocerte a ti mismo como un ser divino. Ella nos enseña:

"Cualquier cosa que sientas que esté bloqueando tu camino espiritual, entrégamela, porque yo soy el 'YO SOY' dentro de ti. Asume tu autoridad imaginando tu Yo superior y luego fúndete con esta gloria. Recuerda que eres creación y creador a la vez. Conócete a ti mismo y utiliza tus experiencias para ayudar a otros a elevarse. Abraza la constancia de tu propio crecimiento espiritual y ten la certeza de que todo lo que creas desde el amor, derrama bendiciones sobre todos".

Invita a la Archeia Constanza para la conexión cósmica, el anclaje de energías de dimensiones superiores, la integración de tu sistema de 13 chakras, la activación del cuerpo de luz, la organización y la fuerza de voluntad.

Significado de la carta invertida

No prestes atención a dramas triviales. Reconecta con la inocencia que traes de nacimiento mientras incorporas en tu mundo solo aquello que quieres que crezca. El poder está en tus manos.

Elévate como un ángel: Pilar de luz

Esta meditación purificadora te ayudará a sembrar tu versión del Cielo en la Tierra.

Cierra los ojos; concéntrate en respirar amor cuando inhalas y expansión cuando exhalas. Invita a la Archeia Constanza a acompañarte, luego invita las partes de ti que ya han ascendido. Un pilar de luz diamante pulsante rodeará tu aura, abarcando 4 metros en todas direcciones. Conscientemente, libera de tu pilar todo aquello que no sirva tu propósito. Aparta a la gente y los dramas, entrégale ambos a Constanza. Comienza entonces a sembrar en tu pilar los códigos de la Tierra Nueva. Ve cómo la naturaleza comienza a florecer. Trae los elementos, las flores y los pájaros; trae la magia, las hadas, los unicornios y los dragones; trae a tu amado, familia y amigos; trae tus pasiones, libertad y alegrías. Aporta amplitud, opciones, paz y diversión y todo lo que sea importante para ti. Siembra todo aquí en tu Cielo en la Tierra. ¿Cómo es y cómo se siente tu utopía? Experimenta esta nueva línea del tiempo… Abre los ojos ahora y permanece en este espacio, ¡así se obtiene la perfección! Permite a los dos mundos unirse. Si algo que no te gusta llega a tu pilar, sácalo como el creador que eres.

Bendición

Con las manos en el corazón, di en voz alta tres veces con convicción:

> *"Creo en el nuevo mundo resplandeciente que está emergiendo y en la bondad inherente de la humanidad".*

12. ARCÁNGEL METATRÓN

"Recuerda quién eres"

12. ARCÁNGEL METATRÓN
Recuerda quién eres

Mensaje del ángel

"Ya estás iluminado, ¡solo tienes que recordarlo!
El don de tu divinidad ya es tuyo".

Significado ampliado

El Arcángel Metatrón, cuyo nombre refleja "guardián del reloj", trabaja con el rayo diamante de la ascensión universal y la geometría sagrada, con su contraparte la Archeia Constanza. Metatrón (también conocido como Mattatrón) es uno de los ángeles más elevados, ya que posee el plano divino de la creación; te ayuda a despertar tus dones celestiales y a liberarte de cualquier programa diseñado para mantenerte dormido a tu poder. Metatrón comparte el siguiente mensaje: *"Tú eres tu propio maestro, estudiante, guía y milagro. Un reflejo puro de la Fuente en el proceso de recordar. Expresa tus capacidades en lugar de las limitaciones percibidas. No tengas miedo de tu propia magnificencia. El don de la vida es tuyo, amigo mío; aprécialo, proclámalo y vívelo con valentía".*

Invita al Arcángel Metatrón para acceder a otras vidas pasadas/paralelas/futuras, alterar el tiempo, decodificar la geometría sagrada, expandir los chakras de la estrella del alma y del portal estelar y ayudar a los niños sensibles y a sus cuidadores a satisfacer sus necesidades.

Significado de la carta invertida

¿Sientes que el día no tiene suficientes horas? Pídele a Metatrón (el ángel del tiempo) que estire, ralentice o incluso que acelere el tiempo cuando lo necesites.

Elévate como un ángel: Decreto de soberanía

Recita este decreto a diario durante 28 días para despertar tu divinidad.

Entra en un estado centrado, imaginando a la Archeia Constanza a tu izquierda y al Arcángel Metatrón a tu derecha. Respira su luz diamantina mientras te llena por dentro y por fuera. Con amorosa convicción, recita en voz alta:

"Me permito reconocer, dominar, manifestar, elegir y canalizar todo lo que soy. Existiendo en todo lo que soy, recordando todo lo que soy, sabiendo todo lo que soy, siendo todo lo que soy y comprendiendo todo lo que soy. Porque soy el canal puro más gozoso que

puedo ser para mí y la Fuente, dentro y alrededor de mi ser, de forma incondicional y positiva tanto para mi experiencia como mi verdad, a través de esta manifestación física llamada (di tu nombre). En todo momento, Sat Nam.
Como se ha decretado, así se hará.
Soy atemporal, ilimitado, sin fronteras y sin espacio. Existiendo en todas partes y a la vez en ninguna; en todo y en nada, por lo tanto, existo. En la medida en que la Fuente es parte de mí, yo soy parte de ella; por lo tanto, soy conciencia indefinible, YO SOY, Sat Nam".

Bendición

Con los brazos abiertos, di en voz alta tres veces con convicción:

"Estoy abierto a recibir la plena conciencia de quién y qué soy".

13. ARCHEIA VICTORIA
"Eleva tu vibración"

Mensaje del ángel

"Céntrate en lo que te ilumina porque estás aquí para abrir nuevos caminos".

Significado ampliado

La Archeia Victoria, cuyo nombre deriva del latín *vincere*, que significa "vencer", trabaja con en el rayo diamante de la ascensión universal, la magia y la sabiduría, con su homólogo el Arcángel Raziel. Victoria (también conocida como Jochara) nos enseña que cuando nos centramos en elevar nuestra vibración, se abre la puerta de nuestra conciencia. Al atravesarla, aparecen dos caminos: el primero nos impulsa a cumplir con nuestro karma (las lecciones terrenales) que elegimos antes de encarnar y el segundo nos lleva en espiral hacia arriba para elevar nuestra conciencia. La meditación diaria es la clave que nos guía por estos caminos. Victoria te da un constante empujoncito para meditar más, lo que elevará también la vibración de tu hogar (pues no eres un producto de tu entorno, tu entorno es un producto de ti).

Invita a la Archeia Victoria para el desarrollo de los chakras del tercer ojo y la coronilla, la creación de una revolución positiva, la encarnación de tu magia, el *feng shui* de tu espacio y tu realidad interior, así como la conversión de ideas en oro.

Significado de la carta invertida

¿Te sientes mal, deprimido o torpe? Es hora de elevar tu vibración. Una forma rápida de hacerlo es aplaudir en tu aura (para romper el estancamiento) y sacudir el cuerpo.

Elévate como un ángel: Cómo elevar tu energía

La Archeia Victoria tiene las manos en el mudra "prana shanti", una postura que estimula el flujo de vitalidad (prana) y paz (*shanti*). Victoria te guiará a través de una práctica de consciencia de respiración, utilizando este mudra, para elevar tu energía hacia tus chakras superiores.

Siéntate cómodamente, respirando hondo durante unos minutos y siente la presencia del prana. Junta los dedos meñiques y anulares de ambas manos y conéctalos con la punta del pulgar. Estira poco a poco los dedos índice y del medio, apoyando las manos en el regazo. Respira hondo, sintiendo el flujo de prana subiendo y bajando por tus chakras.

Inhala despacio mientras llevas las manos (manteniéndolas en el mudra) hacia arriba, abriendo bien los brazos al alcanzar el punto cúspide de tu inhalación. Mantén la respiración y, al exhalar lentamente, mueve los brazos hacia arriba con las manos hacia tu regazo. Repite esta operación durante unos minutos, experimentando tu fuerza sanadora interior moviéndose a través de ti. Inhala con las manos hacia arriba por última vez y cuando tus brazos se abran, concéntrate en la parte superior de tu cabeza. Visualiza la luz diamantina pura fluyendo desde tu coronilla a medida que tu columna de chakras superiores se despierta. Abre las manos y explora cómo te sientes en este momento. Cierra la práctica agradeciendo a Victoria.

Bendición

Con las manos en el corazón, di en voz alta tres veces con convicción:

"Me deleito sabiendo que mi invencibilidad, al igual que la calidad de mi estado vibracional, está bajo mi control".

14. ARCÁNGEL RAZIEL
"Aprende, cambia, crece"

Mensaje del ángel

"La vida es el mejor maestro. ¿Qué lecciones están por presentarse en tu camino para que las aceptes?".

Significado ampliado

El Arcángel Raziel, cuyo nombre refleja "secretos divinos", trabaja con el rayo diamante de la ascensión universal, la magia y la sabiduría, con su homólogola Archeia Victoria. Raziel (también conocido como Ratziel) es el profesor mágico del Cielo. Su encantadora oscuridad nos invita a vivir la vida con curiosidad para permanecer en continuo aprendizaje, cambio y crecimiento. Raziel nos guía para reconocer la magia del día a día; nos enseña que somos una *"biblioteca de conocimiento divino"* y a convertir el conocimiento en sabiduría a través de nuestras experiencias, abrazando el camino del autodescubrimiento. Pídele que te guíe hacia los libros, cursos, personas y lugares que profundizarán tu comprensión espiritual.

Invita al Arcángel Raziel para desarrollar tus dones espirituales (incluida la transformación del miedo relacionado con la visión y la percepción espirituales), la alquimia divina, la magia, el misterio y el asombro, la expansión de la columna de chakras de dimensiones superiores y la comprensión de conceptos espirituales abstractos, secretos y simbolismos, convirtiéndolos a todos en sabiduría.

Significado de la carta invertida

¿Estás viviendo una vida sin rumbo, sintiendo que simplemente "es algo que te está sucediendo", en vez de ser algo que tú provocas? ¿Padeces el "síndrome del impostor"? Deshazte de todo eso y toma las riendas de tu vida. Te esperan nuevas aventuras.

Elévate como un ángel: El aula celestial de Raziel

Este viaje abre la mente a mayores posibilidades...

Dedica unos instantes a contemplar la imagen de Raziel. Cierra los ojos y respira hondo. Inhala una sensación de magia, exhala una sensación de expansión. Magia dentro... expansión fuera. Imagina un arcoíris sobre ti; siente sus colores e inspíralos y al exhalar, siente cómo te elevas fuera de tu cuerpo, hacia el cielo y hacia la profunda expansión del cosmos. Aquí te espera Raziel; flota a su lado y disfruta de la vista. Él te guía a un aula celestial diseñada para llevarte más allá del pensamiento ordinario; al reino de tus sueños manifestados. También te dice que tienes todas las llaves del universo y, para ilustrarlo, crea imágenes y personajes a partir de tu experiencia, mostrándote una película de tu vida ideal, que se proyecta en la pantalla conforme lo visualizas y sientes. Dado que la mente no es capaz de distinguir entre lo real y lo imaginado, todo lo que imaginas cobra vida. Haz de tu vida una película resplandeciente y audaz, respirando en su brillante tecnicolor.

Agradece a Raziel por mostrarte lo que es posible mientras regresas a tu cuerpo. Vuelve al aula cada vez que quieras conversar y aprender de él.

Bendición

Con los brazos abiertos, di en voz alta tres veces con convicción:

"Todo lo que necesito saber me llega sin esfuerzo".

15. ARCHEIA LIBERTAD
“Despierta tus sentidos”

Mensaje del ángel

“La libertad te pertenece siempre. No necesitas añadirte ni quitarte nada para ser libre. Tú eres suficiente”.

Significado ampliado

La Archeia Libertad, cuyo nombre deriva del latín *libertas*, que significa “libre”, trabaja con el rayo naranja de aceptación, compasión y comprensión, con su homólogo el Arcángel Jeremiel. La Archeia Libertad (también conocida como Annacea) nos recuerda que la liberación es una experiencia vibratoria con la que nos alineamos cuando nuestros sentidos están despiertos y libres de ataduras. Nos ayuda a iluminar aquello que percibimos de nosotros como vergonzoso, oscuro o sucio, para que podamos romper con las ataduras del juicio y tomemos posesión de nuestra verdadera soberanía. La Archeia Libertad te ayuda a superar los complejos y las historias que te han estado impidiendo avanzar.

Invita a la Archeia Libertad para transformar la represión, la reconexión sexual y sensual, sanar las heridas e historias internas femeninas y reforzar el respeto y la autoestima.

Significado de la carta invertida

Elimina las distracciones y alimenta tu verdad. Toma conciencia de las distracciones que te impiden vivir plenamente y enciende tus pasiones.

Elévate como un ángel: Despierta tu chakra del ombligo

La Archeia Libertad ayuda a transformar las historias colectivas de culpa, vergüenza y separación que están almacenadas en nuestro ombligo. Esto crea la amplitud para realizar y vivir nuestro plan divino en la Tierra.

Para este viaje lleva esta carta a la naturaleza. Busca un lugar cómodo para sentarte, presiona la carta sobre el ombligo sujetándola con la ropa. Invita a la Archeia Libertad y a su revitalizante rayo naranja a que empiecen a despertar tus sentidos desde dentro de ti. Apoya tus manos en el suelo/césped/arena y siente el latido de la Madre Tierra. Luego levanta los brazos hacia el cielo y siente la energía del cosmos. Inhala la unidad... exhala la unidad. Deshazte de todos los pensamientos, con una sola intención: simplemente **estar** en el momento. Toma conciencia de la naturaleza que te rodea...

Inhala los olores, abre la boca y saborea el aire, siente la luz del sol y la caricia del viento; escucha los sonidos a tu alrededor y luego sintoniza con aquello que se escucha a lo lejos, ¿qué oyes?, cierra los ojos, ¿qué sientes en tu interior? Reconoce cómo te sientes sin buscar controlar esta experiencia; aprecia cómo tus sentidos te entregan la sabiduría divina y reflejan que la separación es una ilusión. Inspira la unidad... exhala la unidad.

Para terminar, da gracias a la Archeia Libertad y recita la siguiente bendición.

Bendición

Con los brazos abiertos, di en voz alta tres veces con convicción:

"Soy luz dentro de la oscuridad.
Soy la solución a todos los problemas.
Elijo vivir la vida a través de un lente nuevo
porque soy libre, soy Libertad".

16. ARCÁNGEL JEREMIEL
"Señales, símbolos y sincronicidades"

Mensaje del ángel

"Los ángeles están bendiciendo tu realidad de manera significativa para apoyarte y reflejar tu divinidad".

Significado ampliado

El Arcángel Jeremiel, cuyo nombre refleja "misericordia divina", trabaja con el rayo naranja de aceptación, compasión y comprensión, con su homólogo la Archeia Libertad. Jeremiel (también conocido como Jerahmeel) es un ángel gentil que nos ayuda a navegar por la vida a través de la simbología. Te indica que tus oraciones y preguntas han sido escuchadas y están siendo respondidas a través de señales, símbolos y sincronicidades. Toma nota de estos, así como de las plumas blancas, las secuencias numéricas repetitivas, los corazones y las alas que aparecen reflejados en tu entorno, las "revelaciones sorprendentes" y otras formas significativas en las que él y tus ángeles de la guarda te están inspirando.

Invita al Arcángel Jeremiel a profetizar, a hacer una revisión de la vida y reflexionar sobre dónde has estado, qué necesitas resolver y hacia dónde te diriges, a decodificar los sueños, recuerdos, simbología y compasión, además de fortificar la guía divina.

Significado de la carta invertida

No es egoísta reconocerte como un ser divino, pues la realidad es que eres especial y amado; ya estás sentado en un trono y tu camino es simplemente recordarlo.

Elévate como un ángel: Descifra tus sueños

Este ejercicio aumenta la conciencia de las diversas formas en que nuestro ser superior y los ángeles se comunican constantemente con nosotros. Mientras dormimos, es el momento en el que estamos más abiertos de mente y receptivos, por lo tanto, es allí donde resulta más fácil que los ángeles aparezcan con mensajes. Con la práctica repetida, empezarás a tener "sueños lúcidos", es decir, aquellos en los cuales tu conciencia despierta para que puedas disfrutar de la comunicación angelical directa sin que el ego se interponga. Este ejercicio es mejor realizarlo a primera hora de la mañana. Necesitarás papel y bolígrafo. Prepárate la noche anterior dándote una ducha fría para purificar tu campo energético. Siéntete guiado y pregunta a Jeremiel si puede entrar en tus sueños para transmitirte lo que estás dispuesto a saber. Dale las gracias por ayudarte a recordarlo todo por la mañana. Libera tu intención mientras te sumerges en el sueño.

Al despertar, plasma sobre la hoja los sueños que tuviste. Pídele a Jeremiel que te revele el significado más profundo de fragmentos de imágenes o simbolismos. ¿En qué se centraba el sueño? Hazte preguntas que empiecen por **quién**, **qué**, **cuándo**, **dónde** y **cómo** para ampliar los mensajes recibidos. Contempla múltiples interpretaciones mientras observas tu sueño en lugar de reaccionar ante él.

Repite este ejercicio durante al menos 11 días consecutivos para indicar a tu subconsciente que estás abierto a recibir orientación de este modo.

Bendición

Con las manos en el corazón, di en voz alta tres veces con convicción:

"Gracias ángeles, por mostrarme las distintas maneras en las que me cuidan y me apoyan. Los amo y continúo abriéndome a su guía divina".

17. ARCHEIA PUREZA
"Limpieza y desintoxicación"

Mensaje del ángel

"Trae hacia ti la llama violeta para limpiar la situación y obtener una mayor comprensión".

Significado ampliado

La Archeia Pureza, cuyo nombre deriva del francés antiguo *purete*, que significa "verdad", trabaja con el rayo violeta de transformación y entrega, con su homólogo el Arcángel Zadkiel. Pureza (también conocida como Amatista) es uno de los ángeles más elevados. Su amor por la humanidad no tiene límites.

Pureza te ayuda a sincerarte con tus sentimientos en lugar de huir de ellos o negarlos. Te guía para que te preguntes: *"¿Cuál es el aprendizaje positivo y qué puedo llevarme de esta situación?"*. Pureza porta la llama violeta de la transmutación, que limpia y eleva la conciencia. En los últimos años, la luz plateada, dorada y magenta se ha revelado dentro de su fuego. Observa cómo la llama violeta te rodea a ti, a tu hogar, a tus finanzas y a tus relaciones, para transformar las energías bajas en vibración renovada.

Invita a la Archeia Pureza para transformar, fortalecer y expandir el aura, revelar la verdad subyacente, dominar la empatía y purificar objetos y entornos.

Significado de la carta invertida

Tómate tu tiempo para sintonizar a diario contigo mismo, a fin de que no lo hagas únicamente con las frecuencias de los demás. Acostúmbrate a sacar de tu campo energético a todas las personas con las que has conectado a lo largo del día antes de dormir. Permanece en tu luz conociéndola.

Elévate como un ángel: Limpieza de la llama violeta

Esta forma de higiene espiritual mantiene tu aura brillante. Disfrútalo con frecuencia y cuando te sientas abrumado por una energía pesada. Sabrás que has absorbido energías negativas de una persona, lugar, evento u objeto cuando pensamientos adversos o impulsos poco amables aparezcan en tu mente. Límpialos con la ayuda de la llama violeta.

Lleva esta carta a tu chakra sacro e invita a la Archeia Pureza a estar contigo. Pídele amablemente que te revele si hay alguna entidad, espíritus de la Tierra, huellas psíquicas o energías de nivel inferior en tu campo. También puedes tener la sensación de si hay alguna frecuencia de "polizonte" en tu aura.

Cuando estés preparado, di en voz alta con convicción: *"Invoco a la llama violeta para que se manifieste dentro de mi cuerpo ahora* (inhala mientras tu ser se llena de fuego violeta y luego exhálalo hacia tu espacio). *Doy permiso para que toda la energía que no sea incondicionalmente positiva para mi verdad y experiencia regrese a la Fuente ahora. Gracias. ¡Que así sea!"*. Respira hondo mientras ocurre esta liberación y siente la lluvia de fuego violeta dentro y alrededor de ti, transformando todo lo residual en prana renovador de vida. Cierra el espacio agradeciendo a la Archeia Pureza.

Bendición

Con las manos en el corazón, di en voz alta tres veces con convicción:

"Al limpiar mi campo energético con amor incondicional, puedo ver a través de los ojos de la Fuente".

18. ARCÁNGEL ZADKIEL
"Fortalece tus límites"

Mensaje del ángel

"Suelta todo elemento o persona que te empuje hacia abajo; mantén tu poder".

Significado ampliado

El Arcángel Zadkiel, cuyo nombre refleja "rectitud", trabaja con el rayo violeta de la transformación y la entrega, con su homólogo la Archeia Pureza. Zadkiel (también conocido como Tzadkiel) te enseña que eres un ser empático por naturaleza y, como tal, eres consciente de las opiniones, los juicios y la influencia de los demás. Aplica el discernimiento y establece límites para mantener tu campo energético fresco y alineado con tu verdad. Tener límites no significa que tengas que alejarte del mundo; tener límites es honrarte a ti mismo. Recuerda que no todo el mundo necesita o quiere ayuda, aunque tú pienses lo contrario. Facilitar siempre las cosas a los demás impide su propio crecimiento; puedes ejercer una influencia positiva en ellos cuidando primero de tu propia vibración.

Invita al Arcángel Zadkiel para el desarrollo del chakra de la estrella del alma, la justicia y los asuntos legales, el establecimiento de prioridades, el blindaje de tu aura, la transformación de los contratos kármicos y la comprensión de la causa y el efecto.

Significado de la carta invertida

Deshazte de los sentimientos de deshonestidad y/o culpa pidiendo perdón y perdonando a todos los implicados.

Elévate como un ángel: Establecer límites

¿Dices "sí" cuando quieres decir "no"? ¿Priorizas las necesidades de los demás sobre las tuyas? ¿Tienes miedo de comunicar tu verdad por temor a lo que pueda pasar? No tener límites o tener límites débiles (como en estos ejemplos que menciono) son las razones por las cuales las personas se enferman, se sienten agotadas, se vuelven susceptibles a los ataques psíquicos y experimentan una pérdida de poder personal. Si no respetamos lo que sentimos, rompemos nuestros límites. Del mismo modo, si no respetamos cómo se sienten los demás, rompemos sus límites. Nuestros sentimientos en el momento definen si estamos respetando nuestros límites o si los están violando.

Tómate un momento para relajarte y luego di en voz alta: *"Amado Arcángel Zadkiel, envuélveme en este momento en la llama violeta de la transmutación* (inhala mientras tu ser se llena de este fuego… luego exhálalo en tu espacio). *Por favor hazme saber a consciencia dónde necesito crear, redefinir y fortalecer mis límites. Gracias. ¡Que así sea!"*. Toma conciencia de tus sentimientos. ¿Con qué necesitas desconectar? ¿Dónde hay falta de armonía? Examina a fondo las relaciones con tus seres queridos, tus compañeros de trabajo, tu hogar, tu comunidad, tu entorno y tu equipo espiritual. ¿Qué mensaje hay que trasmitir y qué recursos se deben crear para enseñar a los demás sobre cómo quieres que te traten?

Solo tú puedes establecer tus límites. Recupera tu poder haciendo coincidir tus límites con tus valores fundamentales y tu verdad.

Bendición

Con las manos en el corazón, di en voz alta tres veces con convicción:

*"Tener límites me capacita para crear
y vivir mi mejor vida".*

19. ARCHEIA CARIDAD
"Atrae el amor"

Mensaje del ángel

"Tú eres amor y el amor eres tú y nada nunca puede separarte de aquello que eres".

Significado ampliado

La Archeia Caridad, cuyo nombre deriva del latín *carus* que significa "querido", trabaja con el rayo rosado, rojo y rubí del amor divino y la devoción, con su homólogo el Arcángel Chamuel. Caridad (también conocida como Serafina) nos recuerda que siempre hay tiempo para el amor. Nos enseña a ser amorosos con nosotros mismos, visualizando las situaciones actuales (y a todos los implicados) bañadas en amor. Ya sea dando, recibiendo o siendo un faro de amor, se liberará cualquier resistencia que pueda estar en juego en estos lugares.

Invita a la Archeia Caridad para la tolerancia, el fortalecimiento de las relaciones románticas, la recuperación del amor, la priorización de las prácticas de autocuidado, la expansión de tu corazón y el aumento de la compasión.

Significado de la carta invertida

Estás abajo en tu lista de prioridades. Vuelve a equilibrarte llenando tu copa. ¡Es hora del amor propio!

Elévate como un ángel: Infundir amor en tu línea de tiempo

La Archeia Caridad puede ayudarte a cambiar tu línea temporal, para que atraigas relaciones desde una vibración de amor y no desde la carencia, la limitación o el dolor, que a menudo son la base de recuerdos y creencias cargados.

Disfruta del poder del amor cuántico colocando esta carta ante ti y entrando en meditación. Ve al lugar donde naciste, cuando respiraste por primera vez, e imagina que respiras de nuevo, pero esta vez, infundiéndolo con el rayo rosa del amor divino. Inhala puro amor incondicional y regálalo al espacio donde naciste. Inhala amor, exhala amor. Visualiza tu línea del tiempo desde tu nacimiento hasta tu edad actual; observa cómo el rayo rosado la impregna a medida que dices en voz alta: *"Todos los recuerdos del alma relacionados con la carencia, la limitación, el juicio y el dolor son ahora lavados, purificados y transformados de nuevo en amor"*. Respira hondo durante unas cuantas rondas mientras visualizas tu línea temporal iluminada con luz renovada y positividad. Todo lo que obstaculizaba tu camino ahora se ha disuelto; las mejores relaciones están llegando ahora a tu vida y las conexiones existentes se están fortaleciendo con vitalidad. Tu mundo interior ha cambiado y tu mundo exterior pronto lo reflejará.

Después de la práctica y durante el resto del día, deja que cada respiración que hagas sea una respiración de amor. Esto ayudará a integrar la nueva realidad que has creado a medida de que comienzan a aparecer en tu realidad aquellos que están listos para darte amor, recibir tu amor y junto a ti traer amor al mundo.

Bendición

Con los brazos abiertos, di en voz alta tres veces con convicción:

"Soy amado, capaz de ser amado,
digno y maravilloso".

20. ARCÁNGEL CHAMUEL
"Sé lo que quieres atraer"

20. ARCÁNGEL CHAMUEL
Sé lo que quieres atraer

Mensaje del ángel

"Así como el amor es un estado del ser generado desde el interior, también lo es todo lo que quieres traer a tu vida. Céntrate, alíneate, recibe".

Significado ampliado

El Arcángel Chamuel, cuyo nombre refleja "búsqueda divina", trabaja con el rayo rosado, rojo y rubí del amor divino y la devoción, con su contraparte la Archeia Caridad. Chamuel (también conocido como Khamuel) nos enseña que recibimos de la vida lo que vibramos, no lo que pedimos. Si seguimos reiterando la falta de algo que deseamos, no aparecerá en nuestro mundo. Chamuel te ayuda a ser la correspondencia vibracional para todo lo que estás atrayendo. Nos enseña también que la creencia de si puedes o no manifestar algo es simplemente un enfoque mental con el que estarás alineando tu vibración para magnetizar tus deseos.

Invita al Arcángel Chamuel para el aprecio, el desarrollo del corazón, el corazón superior y los chakras causales que te conduzcan hacia los mejores amantes, parejas y amistades; también para encontrar cosas, para una conciencia centrada en el corazón y para recuperar la pasión.

Significado de la carta invertida

¿Te sientes menospreciado? Acude a una cita contigo mismo. Apréciate a ti mismo y a los demás y la vida te devolverá el aprecio.

Elévate como un ángel: Llamar al indicado

Aunque este ejercicio se centra en la invocación del amor romántico, los mismos principios se aplican si estás invocando a un nuevo amigo, un nuevo trabajo o una nueva casa. Concéntrate en saber que esta unión es una fusión de vibraciones, más que la obtención de algo que es solo físico. Obsérvate a tí mismo disfrutando desde ya de esa extraordinaria amistad, trabajo o nueva casa; y deposita todo el sentimiento posible en esa visión, a medida que creas ese espacio físico en tu realidad, horario y entorno para que aquella persona/trabajo/casa se instale sin dificultad en tu vida.

Toma un papel y bolígrafo. Pídele al Arcángel Chamuel que te acompañe mientras reflexionas y anotas tus respuestas a las siguientes preguntas:

1. ¿A qué relaciones del pasado me sigo aferrando?

2. ¿Qué aprendí sobre mí mismo de esas relaciones?

3. ¿Qué patrones emocionales y mentales limitantes necesito resolver antes de poder abrirme a recibir amor incondicional?

4. ¿Qué me haría falta para amarme incondicionalmente, convirtiéndome primero en mi propia alma gemela?

5. ¿Qué cualidades tendrá mi ser amado y qué necesitaría yo para cultivar esas cualidades?

6. ¿Hay espacio físico para que mi amor entre en mi vida? Si no es así, ¿qué hay que cambiar?

Confía en que tu ser amado también te está llamando. Visualiza su encuentro en los éteres y ten la certeza de que pronto irrumpirá en tu vida.

Bendición

Con las manos en el corazón, di en voz alta tres veces con convicción:

"Atraigo las relaciones más auténticas
y nutritivas siendo yo mismo".

21. ARCHEIA CLARIDAD

"Descansa, reflexiona, recarga"

Mensaje del ángel

"Al recobrar la paz en tu mente, recobras la paz en tu vida. Prioriza el descanso".

Significado ampliado

La Archeia Claridad, cuyo nombre deriva del latín *claritas*, que significa "brillo", trabaja con el rayo amarillo y dorado de la iluminación, la belleza y la sabiduría, con su homólogo el Arcángel Jofiel. Claridad (también conocida como Christophina), siendo el ángel del sol, nos ayuda a recordar quiénes somos más allá de una perspectiva física. Nos enseña lo siguiente: *"El reino de los cielos vive dentro de ti porque eres diosa y dios"*. Claridad ayuda a potenciar nuestra energía divina femenina y la energía sagrada masculina, a fin de que se equilibren. Esto requiere descanso para permitir que fluya la guía intuitiva y espacio para expresar la acción inspirada. Ella te asegura que no pasa nada por relajarte y descansar. Recargar no es solo un acto de amor propio, sino que es esencial para un suave ascenso.

Invita a la Archeia Claridad para ampliar el conocimiento interior, desvincularte de las agendas políticas, sociales y familiares, la disuasión, la recuperación del poder personal, la concentración mental y la memoria y las prácticas chamánicas.

Significado de la carta invertida

Tu autoestima no se define por tus resultados, sino por tus aportes. Descansa. Las pausas conducen a los avances.

Elévate como un ángel: Meditación del templo interior

El significado raíz de "Cristo" (más allá de un contexto religioso) es "cristal". A medida que encarnamos nuestra espiritualidad, pasamos de un estado carbónico a un estado cristalino; nos convertimos literalmente en un cristal humano. La Archeia Claridad nos ayuda en este proceso despertando primero nuestro corazón Crístico, que evoluciona hacia la conciencia Crística para poder ascender a vivir una experiencia Crística mientras estamos en nuestro cuerpo físico. Esta meditación facilita este proceso y es el "respiro" perfecto cuando te sientes en conflicto.

Entra en estado meditativo, invitando al rayo amarillo y dorado a envolverte. Respira en tu corazón, enraizándote en el centro de la Madre Tierra y en el centro del Padre Sol. Imagina que estás fuera de un hermoso templo de cristal y la puerta se abre y te conduce al corazón del edificio a través de un camino lleno de luz; un fuego crepitante ilumina la habitación. Cuando te sientas junto a él, ves a la Archeia Claridad esperándote. Juntos, disfrutan escuchando el crepitar y los estallidos del fuego. *"Déjate vaciar para poder llenarte de Dios, del dios y la diosa que hay en ti. La vida no debe ser una serie de exhalaciones, ni un hacer constante. Acuérdate de inhalar... para dejar entrar tu divinidad"*, comparte Claridad. Siguiendo su consejo, descansa en tu templo interior todo el tiempo que desees. Siente cómo tu corazón se abre y se expande con cada visita.

Bendición

Con las manos en el corazón, di en voz alta tres veces con convicción:

"¡El descanso es mi nueva tarea!".

22. ARCÁNGEL JOFIEL
"Es tiempo de crear"

22. ARCÁNGEL JOFIEL
Es tiempo de crear

Mensaje del ángel

"Encuentra una forma creativa de expresar quién eres en el mundo. Alimenta tu sagrada luz masculina".

Significado ampliado

El Arcángel Jofiel, cuyo nombre refleja "belleza divina", trabaja con el rayo amarillo y dorado de la iluminación, la belleza y la sabiduría, con su homólogo la Archeia Claridad. Jofiel (también conocido como Zophiel) nos enseña el equilibrio de encontrar nuestro propio camino en el mundo, al tiempo que expresamos con autenticidad nuestros pensamientos y emociones. Te guía para que dejes salir y jugar a tu artista interior. Ya sea pintando, haciendo manualidades, cocinando o trabajando en tus objetivos personales, la luz de Jofiel te ayudará a convertirte en tu mejor versión. Invítalo a entrar y verás cómo tu creatividad fluirá libremente con una expresión sin límites y una espontaneidad divina. Diviértete y aprecia la belleza de todas tus creaciones.

Invita al Arcángel Jofiel para apreciar los milagros y la belleza de la vida cotidiana, equilibrar el fuego interior, embellecer los pensamientos, establecer una conexión masculina divina, expandir el chakra de la coronilla y comprender las situaciones desde la perspectiva de la Fuente.

Significado de la carta invertida

Incluso cuando está nublado, el sol está ahí. Confía en tu luz interior. Ábrete a los milagros que llegan a tu vida.

Elévate como un ángel: Respirar el sol

Jofiel y Claridad representan como uno solo al ángel supremo del sol y su núcleo, el gran Sol Central. Este corazón galáctico es el ser superior de nuestro universo. Cuando salimos al exterior todos los días y conectamos conscientemente con el sol no solo nos sentimos mejor, sino que avanzamos en nuestro camino hacia la iluminación. Este astro irradia el rayo amarillo y dorado que aumenta nuestra comprensión de quiénes y qué somos, así como cuál es nuestro propósito terrenal y celestial.

Para el ejercicio, ponte de cara al sol, o imagina que su luz te toca. Tómate unos momentos para disfrutar de su cálida presencia. Intenta conectar con él, sintiendo que te fundes con su corazón cósmico. En tu próxima inhalación y en cada una de las siguientes, siente que estás respirando los rayos amarillos y dorados a través de tu coronilla y tercer ojo; siente el recorrido de los rayos del sol llenando el interior de tu cuerpo en cada exhalación y visualiza la luz entrando en todas las direcciones mientras todo a tu alrededor se ilumina y se bendice. Valora el hecho que cada día trae oportunidades para forjar tu propio camino.

Da gracias por esto, al sol, a los rayos, a los ángeles y a ti, sabiéndote un alma verdaderamente bella, por dentro y por fuera. Termina recitando la bendición que sigue a continuación.

Bendición

Con los brazos abiertos, di en voz alta tres veces con convicción:

"Permitir que mi artista interior juegue con colores que dan vida más allá de la imaginación".

23. ARCHEIA FUERZA
"Libera tu magia"

Mensaje del ángel

"Estoy ayudándote a disolver todos los hechizos que te han impedido despertar tu propia magia".

Significado ampliado

La Archeia Fuerza, cuyo nombre deriva del latín *fortia*, que significa "fuerte", trabaja con el rayo naranja y verde de la aceptación, la fortaleza y la naturaleza, con su homólogo el Arcángel Ariel. Fuerza (también conocida como Cloveria) nos recuerda que la magia no es lo que hacemos, sino lo que somos. En medio de ella, adquirimos valor y confianza para dejar de sentirnos inferiores y cultivar un fuerte sentimiento de control sobre nuestras vidas. Ella nos enseña lo siguiente:

"Naciste de la magia, única en la creación. Utiliza tu magia para inventar, expresar y dar a luz dones en el mundo, ya que eres capaz de convertir la densidad en diamantes y los fracasos en triunfos. Di con convicción: 'Puedo, puedo, puedo y lo haré'".

Invita a la Archeia Fuerza para ser fiel a ti mismo, para la cortesía, la elegancia, la expansión del chakra del plexo solar, la manifestación de la prosperidad, la asunción de la responsabilidad personal, la autoestima y la aceptación de ti mismo, así como para la concentración inquebrantable.

Significado de la carta invertida

Libera la energía de la competencia y la comparación. Cree en ti, en tus capacidades, en tu magia y tu potencial ¡adelante!

Elévate como un ángel: Meditación en el espejo

Puede que te veas en un espejo todos los días, pero ¿alguna vez te has parado a mirarte y a conectar con tu yo más profundo? A pesar de ser una práctica incómoda, embarazosa, extraña e incluso molesta, el trabajo con el espejo es muy sanador. La Archeia Fuerza te invita a realizar la práctica que se explica a continuación dos veces al día, hasta que puedas mirarte al espejo con amor sin que se interponga un crítico interior.

Siéntate frente a un espejo, donde no te molesten. Invita a la Archeia Fuerza a acompañarte, pidiéndole que te apoye para sentirte y honrarte en este proceso. Pon tus manos sobre el corazón y mírate a los ojos. Al principio, puede que surjan sentimientos o pensamientos incómodos, pues te estás permitiendo ser vulnerable. Aunque es importante recibir las emociones que afloran con los brazos abiertos, si la autoconversación negativa es excesiva, puedes recitar en tu mente una afirmación como la siguiente: *"Estoy aprendiendo a quererme y aceptarme"*. Sin embargo, mantente sincero contigo mismo; respira hondo, sintiéndote arraigado en la Madre Tierra y envuelto en el amor de Fuerza para mantenerte presente. Empieza con unos minutos de esta meditación y ve aumentando hasta que puedas decir de verdad: *"Me quiero y me acepto"* en el espejo. Escribir un diario durante el tiempo que hagas estas prácticas en el espejo acelerará el proceso.

Bendición

Con las manos en el corazón, di en voz alta tres veces con convicción:

*"Soy mágico y utilizo mi magia para conjurar hechizos
de dignidad, confianza, aceptación y amor.
Abrazo un camino de cambio positivo".*

24. ARCÁNGEL ARIEL
"Conecta con la naturaleza"

Mensaje del ángel

"Tu ser está experimentando un gran cambio, lo que te hace sentir más sensible. Acércate a la naturaleza para centrarte".

Significado ampliado

El Arcángel Ariel, cuyo nombre refleja "león divino", trabaja con el rayo naranja y verde de aceptación, fortaleza y naturaleza, con su homólogo la Archeia Fuerza. Ariel (también conocido como Ari'el) nos recuerda que, al conectar con la naturaleza, reconectamos con nosotros mismos. Aunque el apoyo celestial siempre está presente, Ariel te guía hacia no depender de los ángeles para obtener magia.

Y es que la magia está aquí en la Tierra, en la naturaleza y en ti. Tómate con frecuencia un descanso al aire libre, conversa con los espíritus de la naturaleza, crea un jardín de hadas o un altar natural, consigue una mascota o disfruta del tiempo que pasas con los animales que tienes, cuida las plantas de tu casa y tus cristales. Observa la interconexión de la vida silvestre en tu zona y en el campo circundante. Sé testigo de la magia y los milagros en tu día a día, sabiendo que formas parte de esta unidad.

Invita al Arcángel Ariel para la comunicación con los animales y los elementos, la valentía, el ecologismo, la expansión del chakra base, la manifestación y el reflejo de la unidad.

Significado de la carta invertida

Engaño y deshonestidad. Sé testigo neutral de aquello que se revela. ¿Cuál es la lección aquí?

Elévate como un ángel: La comunicación con los animales espirituales

Los búhos y los leones son animales relacionados con el Arcángel Ariel. Pero ¿qué animales se relacionan contigo? Aunque en la meditación puedes encontrarte con "animales espirituales" y aprender de sus enseñanzas medicinales, no hay nada mejor que conectar con los animales físicamente.

Para este ejercicio, acércate a una zona remota de la naturaleza. Di con intención que estás listo para encontrarte con los animales, la vida salvaje y/o los elementos que sean más relevantes para ti en este momento. Busca que esta conexión sea un refugio de amor incondicional que abrace tu verdad y tu camino de vida. Respira hondo y abre tu corazón. Invita a Ariel a unirse a ti, pidiéndole que amplifique tu luz hacia los aliados que están listos para recibirte. Fíjate cuál de los cinco elementos (tierra, aire, fuego, agua o éter) se manifiesta de forma más abundante en ti. Observa la fauna que te rodea, desde los insectos hasta las plantas, los pájaros y los animales, e imagina que eres de su tamaño y especie. ¿Qué conversaciones tendrías? ¿Qué experimentarían juntos? Mientras imaginas esto, te estás transformando en el reino de la magia. Conversa en voz alta con los seres físicos y no físicos que están contigo. ¿Tienen algún mensaje para ti?... Dales las gracias a ellos y a Ariel cuando estés listo para cerrar esta conexión.

Continúa esta práctica todos los días para darte cuenta de qué animales aparecen en tu mundo, en especial aquellos que se muestran una y otra vez. Presta atención a su significado y a los mensajes que te transmiten.

Bendición

Con los brazos abiertos, di en voz alta tres veces con convicción:

"Cobro vida en la naturaleza salvaje".

25. ARCHEIA ARMONÍA

"Atrae la música"

Mensaje del ángel

"El sonido tiene la capacidad de calmar, elevar e inspirar, facilitando la expresión significativa y la conexión".

Significado ampliado

El nombre de la Archeia Armonía deriva del latín *harmonia*, que significa "unión". Trabaja con el rayo azul celeste de la cooperación y la unidad, con su homólogo el Arcángel Raguel. Armonía (también conocida como Laceiatta) nos recuerda que escuchemos música cuando nos sintamos mal, porque el sonido vuelve a unir nuestra energía. Dice que los ángeles escuchan nuestra vibración; nuestro ser literalmente les canta. Así es como los ángeles saben cuándo nos sentimos “apagados” y desconectados de la Fuente. Armonía te ayuda a sintonizar con el ritmo y la frecuencia de tu ser interior y a equilibrar tus relaciones significativas. Si estás experimentando un conflicto en tu relación, pídele a la Archeia Armonía que toque su música angelical sobre ambos para suavizar las aristas emocionales y labrar un terreno común sobre el cual construir.

Invita a la Archeia Armonía para romper hábitos poco saludables, entrar en resonancia con la Fuente, reducir los detonantes y las reacciones emocionales, dominar el elemento aire, meditar y aliviar el estrés.

Significado de la carta invertida

Hostilidad, contraste e incompatibilidad. ¿Puedes encontrar valor en la oportunidad de crecimiento que se te presenta y revivir esta relación? O bien, ¿ha llegado el momento de poner fin a esta relación y alejarse con elegancia? Pide ayuda a Armonía.

Elévate como un ángel: Sintoniza con la armonía

Todo es energía que vibra en diferentes frecuencias. Si bien todas las emociones son válidas y merecen nuestra atención, los sentimientos densos como la ira y el miedo bajan nuestra vibración; y las emociones más ligeras, como el aprecio y el amor, la elevan. Al trabajar con el sonido en forma de frecuencias Solfeggio, podemos experimentar nuestras emociones y sus mensajes y entrar en resonancia divina. Este tipo de frecuencias son tonos musicales (expresados en hertz) que penetran en la mente consciente y subconsciente para estimular una sanación profunda.

Para realizar esta meditación, recuéstate colocando la carta sobre tu corazón. Mientras su radiante luz azul celeste te envuelve, escoge uno de los siguientes tonos milagrosos para escuchar (los puedes encontrar en YouTube). Estos amplificarán tu meditación y provocarán los resultados descritos a continuación:

174 hz – Alivio del dolor
285 hz – Reparación de tejidos
396 hz – Liberación del miedo y la culpa
417 hz – Nuevos comienzos
432 hz – Sueño
528 hz – Amor y reparación del ADN
639 hz – Armonía en las relaciones
741 hz – Desintoxicación espiritual
852 hz – Despertar de la intuición
963 hz – Conexión con el Espíritu

Escucha durante al menos 20 minutos y agradece a la Archeia Armonía para cerrar esta práctica.

Bendición

Con los brazos abiertos, di en voz alta tres veces con convicción:

"Vivo en alegre cocreación con la vida, honrando su diversidad y contraste mientras permanezco centrado".

26. ARCÁNGEL RAGUEL

"Nutre tus relaciones"

Mensaje del ángel

"Te estoy ayudando a disfrutar conscientemente de tus relaciones amorosas al darles nueva vida".

Significado ampliado

El Arcángel Raguel, cuyo nombre refleja "amistad divina", trabaja con el rayo azul pálido de la cooperación y la unidad, con su homólogo la Archeia Armonía. Raguel (también conocido como Akrasiel) es como un "pastor emocional" que nos inspira a asumir la responsabilidad y la administración de nuestra vida, tomando conciencia del impacto de nuestras palabras, sentimientos y acciones. Su dulzura nos ayuda a sanar nuestras relaciones e inspira tranquilidad cuando hay desacoplamiento. Nos enseña que el ego siempre quiere tener "razón" y que la otra persona está "equivocada". Al abrir nuestro corazón, podemos elevarnos por encima del conflicto y relacionarnos con el otro con integridad, conectándonos a través de nuestro ser superior para escuchar, hablar y solucionar. Si te das cuenta que no puedes hacerlo, acepta la situación y espera que se apacigüen los fuegos antes de tomar decisiones sobre la relación.

Invita al Arcángel Raguel para potenciar el compromiso, la pasión y la comprensión, el desarrollo del chakra del corazón, la igualdad, la justicia centrada en el corazón, la ayuda, el dominio del elemento tierra y el reconocimiento del lado más brillante y positivo de la vida.

Significado de la carta invertida

No pierdas tu esencia en una relación. Al atender tus necesidades primero, puedes ser independiente y a la vez un compañero sagrado.

Elévate como un ángel: Hazte amigo de ti mismo

Si estás experimentando un conflicto con tu persona amada, tus hijos, compañeros de trabajo, amigos o familiares, apóyate en el Arcángel Raguel. Para este ejercicio de amistad, te invito a disfrutar del "Refuerzo del chakra angelical" (en la página 27). Después de colocar las cartas, utiliza esta frase de activación alternativa para iniciar la sanación:

"Arcángel Raguel, activa, alinea y energiza mis chakras para que vibren con bondad amorosa, armonía y cooperación. Ayúdame a ser amable conmigo mismo y a comunicarme con los demás con el corazón. Ayúdame a hacer una pausa después que la otra persona haya

hablado, para ser capaz de escuchar lo que se ha dicho y responder con mi ser consciente y no con mi ego. Ayúdame a sanar cualquier tendencia subyacente a ponerme en guardia y juzgar a los demás, antes de comprender las situaciones desde todas las perspectivas. Ayúdame a liberarme de las rabietas, la inmadurez y el conflicto y a desprenderme de toda exageración y drama. Ayúdame a introducir la justicia y el perdón y a abrirme a relaciones más sanas, felices y amorosas, especialmente conmigo mismo. Gracias. ¡Que así sea!".

Disfruta de esta estimulante sesión durante al menos 20 minutos, dando las gracias a Raguel después y anotando tu experiencia en un diario.

Bendición

Con las manos en el corazón, di en voz alta tres veces con convicción:

"Me encanta que haya libertad y movimiento en mis relaciones, para que crezcan y sean aún más satisfactorias".

27. ARCHEIA RESPLANDOR

"Eleva tus estándares"

Mensaje del ángel

"Suelta los pensamientos y sentimientos que te dicen que no eres suficiente. Desfila por la pasarela de tu vida como la belleza real que eres".

Significado ampliado

La Archeia Resplandor, cuyo nombre deriva del latín *resplendēre*, que significa "brillar", trabaja con el rayo de plata de la iluminación, la gracia y la autoaceptación, con su homólogo el Arcángel Haniel. Resplandor (también conocida como Maryllisa) nos ayuda a aceptar cada aspecto de lo que somos para que podamos brillar como la luna. Ella toma lo que definimos como feo, desordenado e imperfecto y lo lleva como el vestido más magnífico para reflejar lo hermosos que somos.

Resplandor despeja las limitaciones mentales y las ilusiones con tal estilo que no es difícil sentirse exuberante en su compañía. Ella te invita a seguir siendo el rey/reina que eres y a no desperdiciar ningún otro momento valioso de la vida pensando que no eres suficiente, cuando la verdad sí lo eres ¡Eres fabuloso!

Invita a la Archeia Resplandor para la autoaceptación, la autovalidación, la transformación de la negatividad, las dudas y las creencias limitantes, la gracia, la conexión divina femenina, la confianza y el coraje para seguir elevándote aunque los que te rodean no lo hagan.

Significado de la carta invertida

¿Te estás escondiendo? ¿Estás ocultando tu brillo por los demás? DETENTE. Naciste para brillar (y no por alguien ni algo más) ¡simplemente porque hacerlo se siente bien!

Elévate como un ángel: Potencia tu sabiduría femenina

Sin importar nuestro género, todos tenemos la sabiduría divina femenina en nuestro interior. El mejor momento para aprovechar esta energía es durante la luna nueva: cuando la luna está en su punto más oscuro, nuestro poder femenino de creación está en su punto más alto. Disfruta de las revelaciones y nuevos comienzos que se desarrollan a través de este viaje.

En la próxima luna nueva, entra en un estado meditativo, invitando a la Archeia Esplandor y a su rayo de plata a envolverte. Inhala luz... exhala resplandor. Proponte alinearte con tu sabiduría femenina;

siente el amor lunar nutritivo entrar en tu respiración y luego exhálalo en el espacio que te rodea.

Reflexiona sobre las siguientes preguntas: ¿Dónde necesito elevar mi nivel de exigencia? ¿Qué me haría falta para probar cosas nuevas? ¿Qué necesito invocar y encarnar? Resplandor te recuerda que al elevar tus estándares no tienes nada que perder y todo que ganar. Por lo tanto, acéptate a ti mismo como resplandor divino en flujo constante. Escribe tus respuestas y cualquier otra cosa que surja, dando gracias a la Archeia Resplandor para cerrar la práctica.

Bendición

Con los brazos abiertos, di en voz alta tres veces con convicción:

"Aquellos que deseen vivir plenamente
se elevarán conmigo".

28. ARCÁNGEL HANIEL
"Confía en tus instintos"

Mensaje del ángel

"Disfruta toda aquella práctica que te sirva de apoyo para confiar en tu guía interior y despierta nuevas pasiones".

Significado ampliado

El Arcángel Haniel, cuyo nombre refleja "gracia divina", trabaja con el rayo de plata de la iluminación, la gracia y la autoaceptación, con su homólogo la Archeia Resplandor. Haniel (también conocido como Anael), al ser el ángel de la luna, tiene una presencia tranquila y fría que inspira la reflexión silenciosa. Te guía para que disfrutes de una práctica espiritual diaria que discipline tu mente y tu cuerpo para servir a tu ser interior. Dicha higiene y condición física energética no tiene que ser aburrida o sentirse como una tarea. Diviértete con tu devoción mientras te reúnes, te fusionas y haces crecer tu divinidad; no para conseguir nada, sino simplemente para honrar a la Fuente que hay en ti.

Invita al Arcángel Haniel para el compromiso, el coraje de la convicción, la devoción, la disciplina, vivir en integridad, honrar tus ciclos y ciclos lunares, la autorreflexión y descubrir habilidades, dones y talentos.

Significado de la carta invertida

¿Sientes que tu energía está dividida? ¿Sufres migrañas? Cambia el pensamiento sobre lo que **deberías** hacer por confiar en tus instintos y actuar según ellos.

Elévate como un ángel: Confía en tu ser interior

La voz de tu ser interior es la conciencia de la Fuente que vive en ti, mezclada con el consejo de tus ángeles de la guarda y tu equipo espiritual. Tu ser interior está dedicado a ti y siempre se centra en tu mayor bienestar.

Cuando tu divinidad te habla, la voz es directa y positiva y hay una sensación de expansión después de hacer una pregunta. Del mismo modo, cuando sigues a tu ser interior, la dirección de tu vida fluye con facilidad y te sientes bien. Aunque surjan algunos desafíos, los reconoces como oportunidades para crecer y respondes a ellos a través de la indagación interior, en lugar de reaccionar externamente.

Por el contrario, cuando el ego condicionado te habla, la voz es crítica y negativa y hay una sensación de contracción después de hacer una pregunta. Cuando sigues al ego, te centras con preocupación en lo que otros hacen o dejan de hacer, o en lo que ellos tienen y tú no. Todo esto sucede mientras experimentas ansiedad, drama y miedo en tu vida, ya que tus necesidades más elevadas no están siendo atendidas.

Para este ejercicio, Haniel te invita a seguir a tu ser interior durante un día entero y notar las diferencias que se producen en ti y en tu mundo. Antes de decidir qué ponerte, qué comer, qué beber, qué hacer, qué visitar y con quién relacionarte, entra en tu corazón y pídele a tu ser interior que te revele la mejor opción o el mejor camino a seguir. Anota en un diario los avances que puedan surgir.

Bendición

Con las manos en el corazón, di en voz alta tres veces con convicción:

"Me bendigo con bondad amorosa cada vez que escucho, confío y sigo a mi guía".

29. ARCHEIA PIEDAD
"Aprecia lo sagrado que hay en ti"

Mensaje del ángel

"Todo en el Universo es una manifestación de amor, incluido tú, querido. Aprecia y honra tu sacralidad".

Significado ampliado

La Archeia Piedad, cuyo nombre deriva del latín *pietas*, que significa "bueno", trabaja con el rayo cobre y magenta de la ascensión del alma, con su homólogo el Arcángel Azrael. Piedad (también conocida como Magdalena), que personifica la esencia de la energía divina femenina, nos inspira a conectar con la diosa interior (nuestra "Magdalena interior") para seguir la llamada de nuestro corazón, recuperar nuestro poder femenino y curar la vergüenza sexual y corporal. Piedad, que es compasión en acción, te ayuda a pasar a la siguiente fase del viaje de tu alma. Apóyate en ella para transformar las heridas internas relacionadas con la represión femenina, los enredos kármicos y cualquier forma de autolesión.

Invita a la Archeia Piedad para sanar el abuso y el trauma, aumentar la conciencia y la receptividad, integrar los dones y la sabiduría de tu alma, amar tu cuerpo, el servicio desinteresado y acceder a la inteligencia infinita.

Significado de la carta invertida

¿Qué sientes que no puedes lograr? ¿Qué te han dicho los demás que no puedes hacer? Ríndete a todos los sentimientos y apegos de supresión en tu historia personal y colectiva. Cree en tu capacidad para cambiar tu mundo, porque nada puede encadenarte cuando eliges vivir en el amor.

Elévate como un ángel: Ama tu cuerpo

Este viaje, que favorece la autoestima y la sanación profunda, se disfruta mejor en el agua.

Crea un lujoso baño de diosa y tómate al menos una hora para sumergirte por completo en esta meditación sensorial. Entra en el agua, invitando a la Archeia Piedad a llenarte a ti, a la habitación y al agua con su luz rosa dorada. Respira esta energía sensual en tu corazón y medita durante unos minutos para centrar y enraizar tu energía. Empieza a tocarte el cuerpo, empezando por la planta de los pies y subiendo poco a poco hasta la parte superior de la cabeza. Aprecia cada zona de tu cuerpo, especialmente las partes que más críticas, mientras das las gracias a tus órganos internos y a tus células por todo lo que hacen. Toca tu piel como si la Fuente te estuviera acariciando, porque, por supuesto, ¡es justo lo que está haciendo! Respira a través de cualquier diálogo interno o resistencia que aparezca mientras disfrutas adorando tu cuerpo por el milagro que es.

Cuando estés listo para cerrar, bendice el agua del baño mientras vuelve a la Madre Tierra y agradeces a la Archeia Piedad.

Bendición

Con las manos en el corazón, di en voz alta tres veces con convicción:

"Querido cuerpo, eres un genio vivo y floreciente;
una obra de arte y un templo para adorar.
Gracias por todo lo que haces. Te amo. Te honro".

30. ARCÁNGEL AZRAEL
"Finales y comienzos"

Mensaje del ángel

"Así como puedes tener finales felices,
también puedes tener comienzos felices.
Abraza al cambio".

Significado ampliado

El Arcángel Azrael, cuyo nombre refleja "ayuda divina", trabaja con el rayo cobre y magenta de la ascensión del alma, junto a su homólogo la Archeia Piedad. Azrael (también conocido como Azriel) es uno de los principales "ángeles de la muerte". Puede ayudarnos a atravesar todas las transiciones de la vida, conectarnos con los seres queridos fallecidos y transformar el dolor cuando estamos preparados para dejarlo ir. Siempre que veas un cuervo (el símbolo de Azrael) debes saber que el Cielo te está ayudando a renacer algo importante en tu vida: ya sea una relación, una forma de ser o una creencia. Azrael comparte que a través del cambio aprendemos, crecemos y nos expandimos y, por lo tanto, el cambio es un regalo multifacético.

Invita al Arcángel Azrael para que te asesore, expandir el chakra de la estrella del alma, ayudar a las almas a cruzar, bondad, el renacimiento, remover los espíritus de tu aura y tu entorno ligados a la Tierra, así como contacto con espíritus y mediumnidad.

Significado de la carta invertida

Si el cambio te resulta difícil, pídale a Azrael que te ayude a encontrar un punto de apoyo. Como principal ángel consejero, él comprende que todas las transiciones requieren tiempo, amor y ternura. Sé indulgente contigo mismo.

Elévate como un ángel: Lee tu futuro

Una de las relaciones más temidas por muchos está relacionada con la muerte. Sin embargo, la "graduación", como la llama Azrael, es un momento para celebrar una vida bien vivida en la Tierra. En cada momento, estás experimentando alguna forma de muerte, ya sea una célula de tu cuerpo, un pensamiento de tu mente o la propia respiración que acabas de inhalar: todo está terminando para empezar de nuevo. Cualquiera que sea el cambio que se esté produciendo en tu vida, puedes facilitar un tránsito pacífico dejando ir lo que era para dar la bienvenida a lo que se está convirtiendo. Azrael puede mostrarte esto en la práctica, enseñándote a leer las proyecciones futuras de tu línea de tiempo.

Entra en un estado meditativo, invitando a Azrael a que te envuelva en su rayo de cobre. Imagina que estás de pie en un globo de nieve: ¿cómo está tu energía en este momento? Ahora siente los bordes de tu aura y proyecta tu conciencia más allá de ellos. Una serie de múltiples líneas temporales aparecerá; todas las futuras posibilidades. Tendrás la sensación de que las líneas temporales se expanden y se curvan hacia arriba. Lee la energía que se curva hacia arriba: ¿cómo se siente? Confía en lo bien que te sientes al elevarte desde donde estás. Cuanto más puedas abrazar el cambio, confiando en que está trabajando a tu favor, más vivirás en la dicha del presente eterno. Agradece a Azrael para cerrar esta práctica.

Bendición

Con las manos en el corazón, di en voz alta tres veces con convicción:

"Es seguro para mí abrazar el cambio positivo,
sabiendo que mi futuro es abundante y brillante".

31. ARCHEIA SERENIDAD
"Teje una nueva historia"

Mensaje del ángel

"Cambia la historia de tu vida. Crea un nuevo capítulo en vez de releer uno anterior".

Significado ampliado

La Archeia Serenidad, cuyo nombre deriva del latín *serenitatem*, que significa "claridad", trabaja con el rayo negro de la trascendencia y el potencial, con su homólogo el Arcángel Cassiel. Serenidad (también conocida como Kassibella) nos recuerda que la suavidad es una fortaleza. Ser suaves nos ayuda a disminuir nuestras defensas para que podamos encontrar el equilibrio en los momentos difíciles. Mientras Cassiel nos escolta a través del miedo, Serenidad es nuestro punto de anclaje. Ella nos ayuda transformar los retos en triunfos, desvelando los dones escondidos en cada circunstancia. Pídele que transforme cualquier historia mental de indignidad y victimismo que puedas estar cargando. Si ves una araña (el símbolo de Serenidad) en tu espacio, debes saber que aparece para ayudarte a liberarte de una creencia temerosa. Cuando devuelvas la araña a la naturaleza, di también en voz alta la creencia que estás liberando.

Invita a la Archeia Serenidad para comprender todas las perspectivas, transformar el victimismo y el pensamiento dualista, superar la ilusión, la fantasía, el miedo, el drama y la duda, infundir paz y equilibrio.

Significado de la carta invertida

La sanación es un retorno a uno mismo a través de la aceptación de lo que se es y la liberación de lo que no se es. Un proceso de despojarse de las historias que llevamos como etiquetas. Libérate de toda forma de limitación creyendo en tus capacidades inherentes.

Elévate como un ángel: La telaraña de Serenidad

Utiliza esta técnica siempre que quieras atrapar y liberar la negatividad. Esta red transformadora, cargada con el rayo negro de Serenidad, saca a la superficie creencias, comportamientos y patrones del subconsciente a fin de resolverlos.

Reflexiona sobre una historia limitante que te estés contando a ti mismo. ¿Qué estás permitiendo que te defina, por ejemplo, historias de no ser lo bastante bueno? Sin importar los recuerdos y experiencias asociados a estas creencias, debes saber que si cambias tu historia, cambiarás tu vida. Y así, saca a relucir todas las creencias asociadas con la carencia y la falta de trabajo, incluyendo cualquier chisme o vibración de juicio que provenga de tu entorno. Pide a la Archeia Serenidad que coloque su telaraña debajo de ti. Inspira hondo mientras la telaraña etérica sube por tu cuerpo; y a medida que continúa hacia arriba, atrapa todo lo que estás liberando. Repite este proceso dos veces más. Mira como Serenidad toma la telaraña en su mano y la sopla. Ella te baña en burbujas efervescentes que "estallan", disolviendo cualquier residuo que quede en tu aura. Siéntete renovado desde el interior y reflexiona sobre el próximo capítulo de tu vida. Hazlo lo más convincente e inspirador que puedas.

Bendición

Con las manos en el corazón, di en voz alta tres veces con convicción:

"Gracias, miedo, por mostrarme dónde necesito dejar entrar la luz. A medida que me relajo, todo se suaviza, porque soy Serenidad".

32. ARCÁNGEL CASSIEL
"Enfrenta el miedo y elévate"

Mensaje del ángel

"Nada puede detenerte; transforma cualquier diálogo interior que diga lo contrario. Vive y lidera sin miedo".

Significado ampliado

El Arcángel Cassiel, cuyo nombre refleja "velocidad divina", trabaja con el rayo negro de la trascendencia y el potencial, junto a su homólogo la Archeia Serenidad. Cassiel (también conocido como Kaziel), al ser el ángel de la soledad, observa la Tierra sin interferir, ya que honra el contraste de la vida por el crecimiento que aporta. De este modo, Cassiel refleja verdades más incómodas. Hoy da un paso adelante para ayudarte a amar y llevar a la plenitud aquellos aspectos que te parecen densos, negativos u oscuros. Aunque la dualidad puede ayudarte a dominar la experiencia de la vida física, tú decides de qué experiencias quieres aprender. Cassiel añade: *"La vida es tu maestra; nosotros solo somos tus guías"*.

Invita al Arcángel Cassiel para llevar aspectos sombríos a la plenitud, conexión con el océano, los reinos del delfín y del dragón, protección en el mar, acceder a tu guerrero interior y transformar el ego.

Significado de la carta invertida

Enfréntate al miedo de corazón; ventila, grita, siéntelo y atraviésalo para reclamar tu poder. Cuando un hueso se rompe, vuelve a crecer más fuerte. Tú también puedes.

Elévate como un ángel: Libera a tu guerrero interior

Para esta poderosa ceremonia, necesitarás papel y bolígrafo, una vela blanca y acceso seguro a un fuego.

Ponte en posición de meditación. Pide al Arcángel Cassiel y a su rayo negro que estén contigo. Imagina que bajo tus pies hay una enorme espada angelical; esta es tu "espada de poder". Cierra tus ojos y comienza a levantarla desde el suelo hasta que la sostengas sobre tu cabeza. Ahora vas a liberarte de cualquiera que te haya lastimado o que sientas que ha disminuido tu luz, de traumas severos y de fantasmas del pasado. Respira en tu espada, mira cómo se ilumina. Al exhalar, lanza tu grito de guerrero. Haz tanto RUIDO como quieras mientras te liberas. Escribe todo aquello de lo que te has desconectado (y cualquier otra cosa que estés dispuesto a soltar), luego pon el papel en el fuego. El pasado no tiene por qué definirte, derrotarte, destruirte ni disuadirte más. Deja que lo que hagas con el dolor sea un regalo, toma tus experiencias y úsalas como poder para impulsarte hacia adelante. Levántate como el guerrero que eres y enciende la vela del fuego para simbolizar tu pureza y tu renacimiento.

Bendición

Con los brazos abiertos, di en voz alta tres veces con convicción:

"No tengo nada que temer porque yo y la creación,
la creación y yo, somos uno".

33. ARCHEIA ALEGRÍA
"Prioriza la recreación y el placer"

Mensaje del ángel

"La vida no está hecha para ser seria. Encuentra el humor en cada situación; ríe, aligérate y despierta a través del placer".

Significado ampliado

La Archeia Alegría, cuyo nombre deriva del latín *alacer*, que significa "viváz", trabaja con el rayo dorado de la iluminación, las bendiciones y la verdad, con su homólogo el Arcángel Barachiel. Alegría (también conocida como Rosa), siendo una expresión pura de amor, nos recuerda que debemos tomarnos a nosotros mismos con ligereza y amenizar nuestro camino espiritual. Nos ayuda a elevar nuestra alma y a recargar nuestra energía para poder dar lo mejor de nosotros mismos. La Archeia Alegría nos hace las siguientes preguntas: *"¿Qué hace cantar a tu corazón? ¿Qué te hace cosquillas? ¿Qué te hace sentir vivo?"*. Ya sea que te inspire cantar, moverte, crear más o hacer el amor; pon tu alma en todo lo que te haga disfrutar. Así, tu alegría elevará y bendecirá al mundo.

Invita a la Archeia Alegría para abrazar la evolución personal, incitar a la expansión, la ligereza, apreciar el momento, comprender las sensaciones de *déjà vu* y ser testigo de las bendiciones subyacentes y de la verdad de las situaciones.

Significado de la carta invertida

No necesitas defender o racionalizar tu tiempo o actividad. Considera que tu camino y tu placer son la misma cosa. Deshazte de las creencias que te impiden disfrutar; dáselas a la Archeia Alegría para que las transmute.

Elévate como un ángel: La encarnación de la alegría

Dar gracias por tus bendiciones es un camino para encarnar a Alegría.

Al despertar cada mañana, la Archeia Alegría te invita a empezar el día con una sonrisa; a apreciar estar vivo, alabando este nuevo amanecer y todas las bendiciones de tu vida. Agradece, a lo largo del día, el agua, la comida, el hogar, las plantas, las actividades, los lugares, la gente... a todo y a todos, llénalo todo de aprecio. Disfruta "oler las rosas", creando momentos de placer para saborear lo que estás haciendo, con quién estás y cómo te sientes. Encuentra la bendición en los retos que se puedan presentar y si encuentras algo difícil pregúntate: *"¿Cómo puedo hacer esto y hacerlo con alegría?"*.

Al añadir "y hacerlo con Alegría" estás enviando una petición a tu ser interior para que te inspire el mejor curso de acción.

Antes de irte a dormir, da las gracias por tu cama, el cobijo y el calor. Envía una bendición al mundo como esta: *"Mientras todos se van a dormir esta noche, que sepan lo amados, queridos y apreciados que son"*. Ten la certeza que la mejor manera de dar alegría es reconocer que el espíritu de la Alegría vive dentro de ti.

Bendición

Con los brazos abiertos, di en voz alta tres veces con convicción:

"Tengo ganas de jugar, divertirme, disfrutar de aventuras y vivir más allá de las limitaciones".

34. ARCÁNGEL BARACHIEL
"Salte de lo convencional"

Mensaje del ángel

"Eres brillante y único;
celebra la bendición que eres".

Significado ampliado

El Arcángel Barachiel, cuyo nombre refleja "bendiciones divinas", trabaja con el rayo dorado de la iluminación, las bendiciones y la verdad, con su contraparte la Archeia Alegría. Barachiel (también conocido como Barakiel) tiene una energía vibrante y audaz. Inspira nuestra autenticidad natural para brillar. Barachiel es el encargado de enlazarnos con nuestros ángeles de la guarda, para que ellos conecten perfectamente con nuestra alma y nuestro camino terrenal y celestial.

Si quieres conocer a tus ángeles personales o reforzar tu conexión actual, Barachiel puede ayudarte, animándote a vivir tu vida de una forma más audaz y libre. No naciste para encajar. Viniste a la Tierra con ganas de marcar la diferencia y de expresar tu luz a tu manera.

Invita al Arcángel Barachiel para celebrar la originalidad y el inconformismo, comunicar tu verdad, conocerte a ti mismo más allá de identidades y etiquetas, vivir fuera de tus zonas de confort, conocer a tus ángeles de la guarda y para el apoyo a la comunidad LGBTQ+.

Significado de la carta invertida

No dejes que nadie ni nada te defina. Vive de un modo que siempre te haga sentir bien. Invita a la energía de la amplitud a tu cuerpo y a tu vida.

Elévate como un ángel: Trata cada día como tu cumpleaños

La rosa se asocia con el Arcángel Barachiel, ya que simboliza las bendiciones divinas que llueven del cielo. Para recibir una lluvia de bendiciones cada vez mayor en tu vida, realiza el siguiente ejercicio. Si crees en que seguirán llegando regalos a tu vida, la confianza estará presente de forma natural y automática en ti.

Siente algo que quieres que aparezca en tu vida. Algo pequeño a lo que no estés apegado, por ejemplo, un regalo sorpresa. Cierra los ojos y siente la calma en tu corazón, visualizándote a ti mismo conectando a plenitud con la Fuente. Recuerda un momento en el que supiste que algo asombroso estaba a punto de suceder.

Siente, con todo tu ser, esa sensación anticipatoria de mariposas mágicas bailando en tu interior. Abre físicamente los brazos y sé como un niño que ve el mundo lleno de posibilidades. Deja que el cielo te llene de regalos como si fuera tu cumpleaños. Manifestando así, te mantienes ligero y boyante con la expectativa de que esa sorpresa (o lo que sea que hayas pedido) aparecerá al final del día.

Diviértete con esta técnica; ya sea manifestando pequeños regalos o grandes sueños. La clave es divertirse con el juego creativo de la misma manera.

Bendición

Con las manos en el corazón, di en voz alta tres veces con convicción:

"La única validación que necesito es la mía".

35. SÍMBOLO DEL SATÉLITE

"Enciende tu luz"

Mensaje del ángel

"Estás aquí para recrearte y recordar todo lo que eres. Activar tu luz guiará el camino".

Significado ampliado

El símbolo del satélite, parte integrante de Angel Healing®, transporta la vibración de la Archeia Virtud y del Arcángel Rafael. Conocido como el "interruptor de luz celestial", se utiliza para aumentar el flujo de energía curativa angelical que entra en el cuerpo y fortalece todas las formas de conexión espiritual. Si bien los ángeles están aquí para apoyarte en la vida, también quieren que disfrutes de la plenitud de ser tú mismo. La única diferencia entre la humanidad y el reino de los ángeles es que estos últimos no son seres físicos. Una vez que te hayas sintonizado con el símbolo satélite (ver más abajo) puedes utilizarlo para aumentar el flujo de luz angelical.

Utiliza el símbolo del satélite para bendecir el agua, los alimentos, las medicinas y el cuidado de la piel, para la sanación práctica (dibuja el símbolo sobre los puntos de malestar), para iluminar la raíz de la enfermedad (junto con el símbolo del equilibrio, ayuda a comprender, liberar y transformar la enfermedad) y para fortalecer la capacidad de canalización.

Significado de la carta invertida

Regálate autosanación. Esta práctica no solo te hará sentir bien, sino que te proporcionará una vía amorosa para conectar con tu ser interior. Crea el espacio para hacer una pausa, escuchar y recibir los conocimientos y los pasos de acción y de este modo impulsarte hacia adelante y elevar el camino espiritual.

Elévate como un ángel: Sintoniza con el símbolo satélite (y Autosanación guiada)

Túmbate con la carta sobre el corazón. Establece la intención de que estás preparado para sintonizar con el símbolo del satélite, de modo que tu conciencia se funda con su luz (consulta el enlace de la página 173 para que te guíe en este proceso).

Siente cómo el símbolo se mueve hacia tu corazón y comienza a girar, irradiando su luz transformadora hacia ti hasta que se disuelve y se convierte en ti. Respirando hondo, siente cómo el símbolo se expande hasta que su punto central se alinea con tu tercer ojo y la primera línea horizontal se alinea con tu corazón. La base del símbolo se extiende hasta tu chakra de la estrella de la Tierra y la parte superior del símbolo se ilumina alrededor de tus chakras superiores… Posa tus manos sobre la parte de tu cuerpo que deseas bendecir/curar. Relájate y disfruta del flujo de luz angelical.

Respira hondo y despacio para integrar los cambios positivos. Comunícate con cualquier dolencia para comprender por qué se ha presentado y qué se necesita cambiar para restablecer la salud en estas áreas. Cuando estés listo para terminar la sanación, siente el símbolo del satélite disolverse de nuevo en tu corazón, dando las gracias a los ángeles para cerrar la práctica.

Bendición

Con las manos en el corazón, di en voz alta tres veces con convicción:

"Qué regalo estar despierto y saber que puedo conectarme, sintonizar y vibrar con la expresión más plena de lo que soy y lo que represento en cada momento".

36. SÍMBOLO DEL EQUILIBRIO
"El amor todo lo puede"

Mensaje del ángel

"Al igual que el agua siempre encuentra su camino, tú también serás capaz de atravesar cualquier cosa".

Significado ampliado

El símbolo del equilibro de Angel Healing® lleva la luz de la Archeia Esperanza y del Arcángel Gabriel. Después de haber sintonizado con él, puedes utilizarlo para resolver la falta de armonía emocional y mental. Esperanza nos enseña que podemos elegir vivir el "Cielo en la Tierra" o el "infierno en la Tierra". El camino de vivir en la inocencia divina (la realidad del Cielo) equivale a amarnos, respetarnos a nosotros mismos y apreciar nuestras bendiciones. El camino de la ingenuidad (la realidad del infierno) equivale a torturarnos al seguir apegados a la exageración, el drama y el ego y aferrarnos a la toxicidad que incita a la enfermedad, la adicción y el deseo de salir de la vida.

El alma almacena la conciencia de nuestros recuerdos. Si no resolvemos sus huellas emocionales, estas pueden afectar a nuestro cuerpo y punto de atracción. Utilizando el símbolo del equilibrio, podemos sustituir las emociones condicionales por amor incondicional en todos nuestros recuerdos. Esto nos ayuda a trascender nuestro pasado, romper ciclos kármicos e infundir prana positivo en nuestro siempre presente.

Utiliza el símbolo del equilibrio para calmar la mente (coloca la carta en la frente), aliviar el estrés (colólocala en el plexo solar), protegerse de la negatividad o reprogramar creencias (ubícate dentro del símbolo) e infundir paz (expande el símbolo en tu espacio).

Significado de la carta invertida

Si estás atravesando un gran cambio en tu vida, medita dentro del símbolo del equilibrio para encontrar tu centro.

Elévate como un ángel: Sintoniza con el símbolo del equilibrio (y la Resolución de la memoria del alma)

Acuéstate con la carta sobre el corazón. Fija la intención de que estás preparado para sintonizar con el símbolo del equilibrio, de modo que tu conciencia se funda con su luz (consulta el enlace de la página 173 para que te guíe a través de este proceso). Siente cómo el símbolo se mueve hacia tu corazón y comienza a girar, irradiando su luz transformadora hacia ti hasta que se disuelve y se convierte en ti.

Respirando hondo, siente cómo el símbolo reaparece sobre tu cabeza y comienza a moverse hacia abajo y hacia arriba de tu cuerpo, lavando con suavidad todo aquello que no sea amor.

Invita a la Archeia Esperanza a comenzar el proceso de resolución de la memoria de tu alma, guiándola en caso de que exista alguna experiencia específica que te gustaría resolver. Relájate mientras ella y tu ser superior se hacen cargo. Puedes sentir sensaciones de liberación. Confía y fluye con el proceso hasta que lo consideres finalizado. Siente cómo el símbolo del equilibrio se disuelve de nuevo en tu corazón y agradece a Esperanza para cerrar la práctica.

Bendición

Con los brazos abiertos, di en voz alta tres veces con convicción:

"Elijo recorrer el camino de la inocencia divina,
creando y compartiendo el Cielo en la Tierra".

37. SÍMBOLO DE LA ASCENSIÓN

"Despierta tu ángel interior"

Mensaje del ángel

"Eres un avatar celestial;
despierta tu lado angelical".

Significado ampliado

El símbolo de la ascensión, parte integral de Angel Healing®, transporta la vibración de la Archeia Constanza y el Arcángel Metatrón. Actuando como vehículo inter e intradimensional, este símbolo puede transportarte a otros reinos, dimensiones y líneas temporales y potenciará cualquier forma de meditación. Imagínate dentro de la pirámide de la ascensión apuntando hacia arriba para la conexión angelical y apuntando hacia abajo para aterrizar la energía densa. Alinea ambas pirámides para crear una estrella de seis puntas y ubícate dentro de ella para viajar dentro y activar tu cuerpo de luz celestial. Existe la creencia de la nueva era de que los seres humanos nunca han sido angelicales; sin embargo, el 80 % de la humanidad tiene almas angelicales. Una vez que hayas sintonizado con el símbolo del satélite (ver más abajo), puedes usarlo para recordar tu origen angelical.

Utiliza el símbolo de la ascensión para amplificar tus dones intuitivos e instintivos, sanar y viajar por la línea del tiempo cuántica, elevar la vibración y transformar los enredos del alma, los contratos kármicos y los votos.

Significado de la carta invertida

¿Te sientes a la deriva, como si tuvieras la cabeza en las nubes? Aumenta tu actividad física para eliminar las tensiones energéticas asociadas a la ascensión espiritual.

Elévate como un ángel: Sintoniza con el símbolo de la ascensión (y Descubre tu origen angelical)

Acuéstate con la carta sobre el corazón. Establece la intención de que estás preparado para sintonizar con el símbolo de la ascensión, a fin de que tu conciencia se funda con su luz (consulta el enlace de la página 173 para que te guíe a través de este proceso). Siente cómo el símbolo se mueve hacia tu corazón y comienza a girar, irradiando su luz transformadora hacia ti hasta que se disuelve y se convierte en ti. Respirando hondo, siente que el símbolo se expande hasta que te sientas dentro de su pirámide. Invita al Arcángel Metatrón a estar contigo y siente la luz dorada brotando de sus manos mientras cubre la pirámide y la eleva hacia el cielo. A continuación, establece la intención de visitar tu primera vida después de elegir apartarte de la Fuente. Pide a Metatrón que te muestre todas las vidas angelicales que has vivido para despertar tu conciencia angelical. Relájate a medida que se revelan tu origen y tus vidas. Toma conciencia de los "escalofríos reveladores", ya que son la respuesta física del cuerpo reconociendo y recordando la verdad divina.

Mientras viajas, Metatrón te enseña que eres un estudiante experto en el proceso de recordar, integrar y expresarte como un reflejo de la Fuente. Utiliza el símbolo de la ascensión como herramienta para apoyar este proceso, cambiando tu intención inicial para facilitar la visita a diferentes realidades. Cuando estés listo para terminar el viaje, siente cómo el símbolo de la ascensión se disuelve de nuevo en tu corazón, dando gracias a Metatrón para cerrar esta práctica.

Bendición

Con los brazos abiertos, di en voz alta tres veces con convicción:

"Soy un ser multidimensional y todos los caminos y posibilidades están abiertos para mí".

38. NUEVA TIERRA
“Comparte tus dones”

Mensaje del ángel

“Comparte tus dones y talentos mientras te alineas con tu tribu del alma y del espíritu; cocrea una nueva Tierra”.

Significado ampliado

No encarnamos para vivir únicamente dentro de nuestra zona de confort; vinimos para cambiar el sistema y construir la Nueva Tierra. Si estás leyendo esto ahora, eres un “pionero de la ascensión”, que está aquí para tender un puente entre el Cielo y la Tierra y cocrear nuevas líneas temporales positivas para la humanidad. Al compartir tu luz, ayudas a elevar la resonancia Schumann de la Tierra, que eleva la conciencia de todo lo existente a una experiencia Crística (cristalina).

Manifestar el Cielo en la Tierra es, en principio, una experiencia interna de pasar de una conciencia de "yo" a una de "nosotros", a medida que los deseos "egoicos" se sustituyen por la cocreación para el todo. Puede que hoy hayas atraído esta carta para servir de ángel para otro, o bien como un empujón para unirte a comunidades conscientes, alineándote con tus familias del alma y del espíritu para llevar tu experiencia interior del Cielo a la conciencia colectiva.

Otros significados de la carta: Sé una voz para el cambio, cuida de los demás, contribuye con tu tiempo, dona recursos, únete a una comunidad intencional, sanación planetaria, vida sostenible y ecológica, comparte tu sabiduría, reciclaje creativo, voluntariado.

Significado de la carta invertida

Elévate por encima de las dudas personales que te susurran que lo que tienes para ofrecer no es lo bastante bueno. Tu tiempo, tu amor y tu sabiduría son preciosos. Cree en ti.

Elévate como un ángel: Encuentra y unir

Para este ejercicio, escribe las formas en las que te gustaría contribuir con tu tiempo, tus dones, tu amor y tu sabiduría en el mundo. A continuación, busca comunidades locales (y en línea) a las que unirte y que coincidan con ellas. Si ya eres miembro de grupos existentes en las redes sociales y no has compartido una publicación introductoria sobre ti y lo que puedes ofrecer, créala y comparte. Prepárate para salir de tu zona de confort por el bien común. Si hay grupos, páginas y cuentas de redes sociales que ya no te atraen, no dudes en dejar de seguirlos para mantener tu luz encendida. Rodéate de aquellos que te animan a ser todo lo que eres y que están enfocados en cocrear la Nueva Tierra.

Puede que te sientas inspirado para abrir un canal de YouTube o un perfil de TikTok, crear cursos en línea o presenciales. Comparte tu amor incondicional, porque es el único lenguaje que habla a toda la humanidad.

Bendición

Con los brazos abiertos, di en voz alta tres veces con convicción:

"No necesito ser una luz para el mundo, solo necesito ser una luz en el mundo para inspirar un cambio positivo".

39. ÁNGEL DE LA GUARDA

"Pide apoyo"

Mensaje del ángel

"Está bien pedir ayuda. Consulta a los ángeles o alguna persona física en la que confíes. Pide y recibirás".

Significado ampliado

Nuestros grandes hermanos y hermanas angelicales están siempre disponibles para ayudarnos, pero debido al libre albedrío, necesitan nuestro permiso antes de intervenir. La mejor manera de pedir su asistencia es agradecerles la ayuda que nos han dado, como si ya lo hubieran hecho. Esto nos ayuda a permanecer en la vibración de la solución y a estar abiertos a recibir. Por ejemplo, si estás pidiendo ayuda para sentirte más seguro de ti mismo, podrías decir: *"Gracias, ángeles, por mostrarme y ayudarme a transformar todo lo que se interpone en mi camino para amarme y creer en mí mismo"*. Recuerda que no tienes que hacerlo todo tú solo. Tus ángeles guardianes y todo el Cielo están enfocando su amor en ti; ábrete a ellos. Compartir la vulnerabilidad implica gran fortaleza y sabiduría.

Otros significados de la carta: Rodéate de amigos y familiares afectuosos, habla con los seres queridos espirituales, acércate a los maestros ascendidos y a los consejeros de luz con los que tengas afinidad, reconoce la luz en los demás.

Significado de la carta invertida

No dejes que el orgullo te domine. Sé sincero con tus sentimientos. Admitir que te estás desmoronando suele ser el principio de la recuperación.

Elévate como un ángel: Encuentro con tu ángel de la guarda

Como se indica en la página 16, tu ángel de la guarda es tu aliado angelical más cercano. En esta meditación, conocerás a tu ángel de la guarda principal. Si ya has conectado con tu guía, sigue abierto a la evolución de tu conexión a medida que sucedan nuevas experiencias.

Entra en un estado meditativo, pidiendo al Arcángel Barachiel que esté contigo; agradécele por apoyar a tu ángel de la guarda para que entre en tu conciencia. Inhala una sensación de amor y exhala gratitud. Repite esto durante unos minutos para centrar y enraizar tu energía. Dile a Barachiel que estás listo para conocer a tu ángel de la guarda... Siente su calidez y profundo reconocimiento amoroso a medida que entran en tu campo. ¿Se presentan como femeninos o masculinos, o como una mezcla unificada de vibraciones? Pregúntale a tu ángel cómo se llama y confía en la primera respuesta que recibas. Pídeles que te digan cuál es la mejor guía para ti en este momento, o cualquier otra pregunta que se te ocurra. Mantén la conversación hasta que estés preparado para cerrar el espacio, agradeciendo a tu ángel y a Barachiel.

Bendición

Con los brazos abiertos, di en voz alta tres veces con convicción:

"Gracias, ángeles, por protegerme siempre. Sé que, al aceptar su ayuda, nuestra conexión crece".

40. PERSPECTIVA

“Da un paso atrás y relájate”

40. PERSPECTIVA
Da un paso atrás y relájate

Mensaje del ángel

“Mira siempre con una nueva óptica. Si permaneces en la inocencia divina, será más fácil mantenerte alejado de los desafíos y conservar una perspectiva más elevada”.

Significado ampliado

A veces la vida humana está llena de tanto alboroto y drama que sentimos que tenemos que luchar contra algo o alguien. Sin embargo, lo que incita al conflicto es exactamente lo que pudiera traer su resolución: la perspectiva. Es esta la clave para ir más allá de un estado de ánimo reactivo y volver a la perspectiva de la Fuente. De este modo, los ángeles te guían para que te alejes de esa situación; mientras tanto, podrás ver todos los puntos de vista y minimizar con compasión y gracia lo que antes te parecía insuperable. Solo tienes que saber que puedes seguir pendiente de una situación, aunque te mantengas amorosamente distante. Siendo neutral podrás apoyar mejor a los demás. Confía en que todo se está resolviendo por sí solo y que las soluciones creativas están fluyendo.

Otros significados de la carta: No te preocupes por las cosas sin importancia, consulta a tu yo superior, encuentra puntos en común, baja la guardia, toma en cuenta la perspectiva de la otra persona, confía y ríndete.

Significado de la carta invertida

Si no puedes olvidar una situación o a una persona (pero estás preparado para hacerlo), escribe el nombre del problema o de la persona en un papelito y mételo en el congelador. Tan solo deja que todo se enfríe para facilitar la mejor resolución para todos los implicados.

Elévate como un ángel: Disfruta de un descanso

Observa las imágenes de esta carta y entra en estado de meditación. Respira hondo y permite que el rayo dorado entre en tu corazón. Inspira el oro y espira el oro, dándote permiso ahora para relajarte por completo.

Percibe el borde de tu aura, sintiendo a tu(s) ángel(es) de la guarda esperándote allí. Juntos, comiencen a elevar su conciencia. Saliendo de tu cuerpo, flota hacia el cielo, por encima de las nubes y fuera de la atmósfera de la Tierra... Flotando en la profunda y oscura extensión del cosmos, experimenta una sensación de confort y seguridad. Junto con tu ángel de la guarda, siéntate en la paca de heno que aparece en la carta... descansa un rato para disfrutar de este vasto paisaje dorado, un lugar que siempre te acogerá cuando quieras tomarte un respiro o alinearte con soluciones creativas. Mientras regresas tu mirada a la Tierra, comienza a adquirir una mayor perspectiva de las situaciones actuales de tu vida. Percibe la razón de su manifestación y los medios para resolverlas. Vuelve a flotar en tu cuerpo cuando estés listo para cerrar, agradeciendo a tu(s) ángel(es).

Bendición

Con las manos en el corazón, di en voz alta tres veces con convicción:

"Con nuevos ojos, me resulta fácil relajarme y saber que todo siempre me sale bien".

41. SALTO
"Despliega tus alas"

Mensaje del ángel

"Tus pasiones están listas para alzar el vuelo. Renuncia a lo que te estorba y salta. ¡La vida es para vivirla!".

Significado ampliado

Tus ángeles comprenden que enfrentarse a lo desconocido puede ser intimidante. Sin embargo, saben que estás aquí para llevar la vida más allá del pasado y te guían para que confíes en que no te caerás ni fracasarás al avanzar hacia tus sueños. Aunque estés listo para disfrutar de una nueva relación, carrera, hogar, estilo de vida o forma de ser, debes estar al tanto que los detalles se afinarán cuando des el salto. Continúa sintiéndote bien para saber que estás en la trayectoria correcta. Confía en esta euforia y utilízala como el viento que sopla bajo tus alas, mientras te elevas hacia una perspectiva más amplia y un nuevo paisaje diseñado por ti mismo.

Otros significados de la carta: Muerte y renacimiento, vivir más allá de lo familiar, transformación de las sombras personales y colectivas, expresión sin censura, desconectar de la conciencia colectiva, sanación del vientre.

Significado de la carta invertida

¿Qué te impide saltar? Abandona las creencias limitantes para adquirir confianza en ti mismo. ¡Tú puedes!

Elévate como un ángel: Da a conocer lo desconocido

Hemos sido condicionados a creer que la "oscuridad" o "lo desconocido" es algo que hay que temer. Sin embargo, las Archeiai, que han surgido para mostrarnos que los ángeles son más de lo que se cree, representan la oscuridad vacía, el vientre cósmico del que surge el potencial de toda vida. Las Archeiai también reflejan la oscura sabiduría femenina que hay en ti. Una de las mejores formas de cerrar la brecha entre tu yo finito y tu yo creativo es recordar quién eres a través de la meditación. Para contrarrestar la inquietud que rodea los saltos de fe, tu ángel de la guarda te acompañará ahora al gran vacío para mostrarte que no hay nada que temer.

Siguiendo los cuatro pasos esenciales (página 19), conecta con tu ángel de la guarda principal. Siente su luz de amor dorada, adéntrate en tu corazón. Imagina que caminas por un pasillo que se abre al cosmos, al entrar en las estrellas, tu cuerpo cambia, se estira y le crecen alas. Cuando te das cuenta que estás en tu cuerpo de ángel, el cosmos se transforma en el gran vacío. Experimenta la oscuridad; respira en el vacío sintiendo su energía reconfortante. Imagina que te tomas una siesta y, mientras duermes, dejas atrás los miedos de avanzar en tu vida. Al despertar, sintiéndote renovado, el vacío se ilumina. Ha nacido un nuevo paisaje. Explora esta realidad y deléitate con lo que podría ser si das un salto de fe. Para terminar, flota en tu cuerpo humano, dando las gracias a tu ángel.

Bendición

Con los brazos abiertos, di en voz alta tres veces con convicción:

"Soy libre para siempre en mis elecciones, porque la fe se mueve a través de mí como el aliento y todo lo que necesito hacer es reclinarme y disfrutar del viaje".

42. ABUNDANCIA
"Sumérgete en la abundancia"

42. ABUNDANCIA
Sumérgete en la abundancia

Mensaje del ángel

"Cree en la abundancia que fluye hacia ti.
Abre los brazos, la mente y el corazón para recibir".

Significado ampliado

La prosperidad está en todas partes. Es la capacidad de encontrar, organizar y utilizar los recursos que necesitamos para cumplir nuestro destino más elevado. Desde una perspectiva angelical, la prosperidad, o "pro espíritu", comienza en nuestro interior. Si podemos convocar el sentimiento de abundancia apreciando nuestras bendiciones existentes, estaremos en camino a recibir el dinero, el flujo y las oportunidades que justamente merecemos. El siguiente "combo de poder angelical" puede ayudarte a alinearte con tu prosperidad innata:

1) Archeia Paciencia para desarraigar las creencias financieras limitantes y la conciencia de pobreza. 2) Archeia Caridad para despertar, activar y alinear tu vibración con la abundancia. 3) Archeia Fuerza para elevar tu sentido del merecimiento. Este trío celestial te ayuda a amar el dinero desde dentro hacia fuera mientras te sumerges en la abundancia divina. Permítete aceptar sin condiciones y a dar abundancia tan fácilmente como tu respiración.

Otros significados de la carta: Cultiva y comparte tus pasiones, ofrece tu ayuda, ábrete a la magia y los milagros, practica la gratitud, reconoce el poder de tus pensamientos, renuncia al victimismo, asume la responsabilidad de tu vida.

Significado de la carta invertida

Mantén la cabeza y las alas en alto. Exuda abundancia estés con quien estés y estés donde estés. A medida que le des a la vida, la vida te devolverá lo que le has dado.

Elévate como un ángel: Cascada de abundancia

Los ángeles nos comparten esta poderosa visualización (mejor disfrutarla a diario durante 11 días consecutivos) para elevar tu receptividad a la prosperidad.

Observa las imágenes de las cartas porque viajarás hacia este vórtice de abundancia. Cierra los ojos y concéntrate en tu corazón. Imagina que hay una puerta delante y detrás de tu corazón. Intenta que las puertas estén abiertas ahora para que sea fácil dar y recibir de la vida. Pide a tu(s) ángel(es) guardián(es) que abra(n) completamente las puertas si percibes alguna resistencia… Respirando hondo visualiza una cascada de luz arcoíris dorada. Entra en las aguas divinas mientras te limpian por dentro y por fuera, activando tu ADN a códigos de luz de abundancia. Conviértete en uno con el flujo del agua…. Imagina un medidor que muestra tu nivel de abundancia, donde 0 indica carencia y 10 indica estar rebosante. Sube el indicador a 10, sintiendo que se produce un cambio energético en tu interior; sonríe y deja que todo tu ser también lo haga mientras irradias abundancia ilimitada. Inhala prosperidad y exhala prosperidad. Sintiéndote expansivo y emocionado por el dinero, las elecciones y las oportunidades que están llegando a tu vida, agradece a tu(s) ángel(es) y concluye recitando la siguiente bendición.

Bendición

Con los brazos abiertos, di en voz alta tres veces con convicción:

"En mi mundo se desbordan el amor y la abundancia para el disfrute de todos".

43. ASCENDENCIA

"Sana desde la raíz"

Mensaje del ángel

"Los patrones ancestrales están listos
para ser sanados y liberados".

Significado ampliado

Tú viniste a la Tierra como un "descifrador de códigos consciente" para ayudar a la conciencia de la humanidad a elevarse. Antes de encarnar, decidiste aquello que ibas a sanar dentro del ADN de tu familia para traer la libertad a tu genealogía pasada, paralela y futura. Puede que seas el único de tu familia que sea consciente del "panorama general". Sin embargo, anímate sabiendo que nunca ha habido tantos ángeles despertando a las "bellas durmientes". El despertar global se está produciendo, pero lleva su tiempo. Puedes avanzar en el proceso, desintegrando los programas condicionados emergentes y las historias kármicas. Deshazte de todo lo que sea menos que amor y mantente compasivo mientras el mundo cambia.

Otros significados de la carta: Elige la bondad antes que la rectitud, consulta a tus antepasados, deja a un lado las diferencias, los recuerdos afloran para sanar, mantente fiel a ti mismo.

Significado de la carta invertida

Sirve la mesa para tus seres queridos espirituales e invítales a comer contigo, o crea un altar ancestral. Tener una relación cotidiana con tus antepasados trae bendiciones a todo tu linaje.

Elévate como un ángel: Sana tu árbol genealógico

En este ejercicio, conectarás con tres generaciones: 14 antepasados, tus padres, abuelos y bisabuelos. Al conectar con 33 generaciones, ¡te estarás vinculando con 7.000 millones de antepasados! Esto ilustra lo profundas que pueden ser las ondas de cambio al sanar tu línea del tiempo. Las Archeiai Paciencia y Virtud y el Arcángel Metatrón se unirán a ti para revelar los patrones, comportamientos y creencias heredadas que están listos para ser transformados y cómo facilitar este proceso.

Entra en estado de meditación sintiendo a los ángeles contigo. Imagina que tus padres están de pie a ambos lados de ti. ¿De qué lado están? ¿Cómo te sientes en su compañía? Pide a tus abuelos que vengan y se coloquen detrás de tus padres. Siente tu conexión con ellos. Pide a tus bisabuelos que vengan y se coloquen detrás de tus abuelos. Da las gracias a tus antepasados por estar aquí. Hónralos a ellos y a las vidas que llevaron y llevan.

Imagina una balanza frente a ti. ¿La balanza se inclina hacia el lado de tu madre o hacia el lado de tu padre, o está equilibrada? ¿Qué sanación es necesaria para equilibrar la balanza? Pide a los ángeles que transmuten todo lo que tu familia libera ahora, incluyendo cualquier carga que estés llevando. Siente el amor incondicional verde bañando a todos, limpiando tu ADN y todo tu árbol genealógico. Para cerrar, da gracias a tus antepasados y ángeles.

Bendición

Con los brazos abiertos, di en voz alta tres veces con convicción:

"Formo parte del gran árbol de la vida y,
honrando mis raíces, todos prosperamos".

44. FUENTE
"Regresa a la unidad"

44. FUENTE
Regresa a la unidad

Mensaje del ángel

"Reconoce tu divinidad;
vuelve a casa, a la Fuente".

Significado ampliado

Tu poder personal no deriva de una fuente externa. Si crees que tu poder le pertenece a alguien más, entonces ese alguien te dominará. Tú eres la conciencia amorosa pura como reflejo de la Fuente, siempre y en todos los sentidos. Reclama todo lo que eres, recordando quién y qué eres. Esta es tu tarjeta de presentación. Aléjate de las agendas externas acudiendo a la sabiduría de tu Fuente para que te guíe. Escucha lo que dice tu ser interior a través de tus instintos y tu intuición. Confía en tus decisiones; confía en tus instintos; confía en tu corazón.

Otros significados de la carta: Aceptar las decisiones de los demás, creer en un Universo benévolo, culminación, no rendirse, estados superiores de conciencia, unidad.

Significado de la carta invertida

No tienes que hacer nada ni ir a ningún sitio para encontrar la Fuente. Tan solo sintonizar con el ritmo de tu respiración te llevará a la plenitud de Ti.

Elévate como un ángel: Lluvia de luz de diamantes

Este ritual diario, que se disfruta mejor durante la ducha matutina, ayuda a traer el Cielo a la Tierra a través del cuerpo. Los ángeles nos enseñan que cada uno de nosotros hemos nacido de la grandeza, que estamos aquí para compartirla y dejar un legado para los que vengan. Es hora de creer en tu valiosa contribución a la Tierra, porque tus palabras y acciones pueden crear un cambio positivo para todos.

Abre la ducha y coloca tus manos sobre la regadera, diciendo en voz alta: *"Ángeles amorosos, infundan esta agua con el rayo diamante para traer bendiciones a mí y a todo aquel que esté preparado para recibir su luz. Gracias. ¡Que así sea!"*. Imagina el agua infundida con pequeños diamantes, cada uno irradiando la Luz del arcoíris. Respira la luminosidad de este en cada célula de tu ser. Abre tu corazón y da las gracias por este nuevo día. A medida que el agua te ilumina desde dentro hacia fuera, siente una virtud, como la alegría, el amor, la esperanza, que quieras infundir en tu día y enviar al mundo a medida que el agua se escurre de la ducha. Para cerrar, conviértete en la encarnación de esa virtud, dando gracias a los ángeles y al rayo de diamante.

Para una transformación profunda, combina una ducha diaria de bendiciones con un Juego del Ángel de 44 Días. Programa 44 días para recorrer el mazo, disfrutando de cada ejercicio de "Elévate como un ángel", empezando por la carta 1 y terminando con esta carta. Establece la intención de lo que estás dispuesto a cambiar y ¡prepárate para la aventura!

Bendición

Con las manos en el corazón, di en voz alta tres veces con convicción:

"Ángeles, gracias por ayudarme a ser templo y modelo de amor en la Tierra y por reflejar siempre mi potencial innato".

APÉNDICE

Atributos angelicales

Archeia	Arcángel	Rayos Fuente con los que trabajan	Color de manifestación	Influencia energética
Alegría	Barachiel	Rayo dorado de la iluminación, bendiciones y verdad	Verde brillante (sobretodo Barachiel), rosado y dorado	Chakras de garganta, corazón, plexo solar
Armonía	Raguel	Rayo azul pálido de cooperación y unidad	Azul pálido y blanco brillante (sobretodo Armonía)	Chakras de plexo solar, corazón y garganta
Caridad	Chamuel	Rayos rosado, rubí y rojo de amor divino y devoción	Rosado, rojo y dorado	Chakra del corazón superior y chakras causales
Claridad	Jofiel	Rayos amarillo y dorado de iluminación, belleza y sabiduría	Al igual que la luz del sol: blanco, dorado y amarillo	Chakra de la coronilla
Constanza	Metatrón	Rayo diamante de ascensión universal y geometría sagrada	Anaranjado, dorado (sobretodo Metatrón), plateado, morado, índigo y negro (sobretodo Constanza)	Chakras de la puerta estelar y de la estrella del alma. Cuerpo de luz
Esperanza	Gabriel	Rayos blanco y cristalino de armonía, pureza y comunicación	Blanco cremoso perlado y azul y tonos azules agua	Chakras de ombligo, sacro y base

Archeia	Arcángel	Rayos Fuente con los que trabajan	Color de manifestación	Influencia energética
Fe	Miguel	Rayos azul, dorado y zafiro de voluntad, poder y protección divina	Azul, dorado (sobretodo Fe), índigo	Chakra de la garganta
Fuerza	Ariel	Rayos anaranjado y verde de aceptación, fortaleza y naturaleza	Verde lima y anaranjado	Chakras de plexo solar y base
Gracia	Uriel	Rayo rubí de paz, devoción e inspiración	Rojo, anranjado, dorado y morado (sobretodo Uriel)	Chakra de plexo solar y campo áurico
Libertad	Jeremiel	Rayo anaranjado de aceptación, compasión y entendimiento	Anaranjado, marrón y azules eléctricos (sobretodo Libertad)	Chakras de garganta, corazón, ombligo y sacro
Paciencia	Sandalfón	Rayo arcoíris de la música, manifestación e integración	Tonos marrones terrosos y matices arcoíris cristalino	Chakra base y estrella de la Tierra; campo áurico
Piedad	Azrael	Rayos cobre y magenta de la ascensión del alma	Cobre, marrón metálico intenso, oro roza, durazno y magenta (sobretodo Piedad)	Chakra estrella del alma, corazón y chakra base

Archeia	Arcángel	Rayos Fuente con los que trabajan	Color de manifestación	Influencia energética
Pureza	Zadkiel	Rayo violeta de transformación y entrega	Magenta, violeta, plateado y dorado	Chakra de la estrella del alma, coronilla y sacro; campo áurico
Resplandor	Haniel	Rayo plateado de iluminación, gracia y autoaceptación	Al igual que la luz de la luna: plateado, azul pálido y rosado	Chakras de la puerta estelar y corazón
Serenidad	Cassiel	Rayo negro de trascendencia y potencial	Negro, gris, blanco (sobretodo Cassiel), plateado perlado y rosado (sobretodo Serenidad)	Chakras de la coronilla, plexo solar y base
Victoria	Raziel	Rayo diamante de ascensión universal, magia y sabiduría	Colores del arcoíris, cristalino y dorado	Chakras del tercer ojo y de la puerta estelar
Virtud	Rafael	Rayos verde, rosado y esmeralda de sanación, verdad y amor divino	Verde, morado (sobretodo Rafael) y rosado (sobretodo Virtud)	Chakras del tercer ojo, corazón superior y corazón

Índice de las Archeiai

Índice de los Arcángeles

¡Elévate y hazte infinito!
Tú eres aquel que estabas esperando.

Si deseas saber más de las Archeiai y los Arcángeles, o si quisieras convertirte en un terapeuta de Angel Healing ®, contáctanos a través de

✉ calistaascension@gmail.com
f @CalistaAscension
@CalistaAscension
YouTube @CalistaAscension

Nos encantará conocer tu experiencia al trabajar con la magia de este mazo del oráculo y sus enseñanzas angelicales. Coméntanos dejándonos una reseña en Amazon. Tu opinión es importante: **www.amazon.com**

Un regalo para ti

Para recibir tu grabación gratuita de "Sintoniza con los ángeles" para alinearte con la vibración de cada carta, los ángeles y los símbolos sagrados de Angel Healing®, así como una selección de obsequios angelicales, escanea el código QR o visita la página web CalistaAscencion.com y regístrate para recibir el boletín de Calista.

SOBRE LA AUTORA

Foto por Kelly McIntrye

Calista conoció a su ángel de la guarda durante una crisis personal cuando tenía seis años. Desde entonces, ha desarrollado su relación con los ángeles creando la modalidad práctica Angel Healing® en 2009 y viajando por todo el mundo sintonizando miles de almas con el Cielo. Es muy conocida por su trabajo con los unicornios, los elementales, la ascensión y por ayudar a las personas a conseguir la libertad personal y la soberanía espiritual.

Calista es autora del galardonado libro *Unicorn Rising: Live your Truth and Unleash Your Magic*. La autora enseña sus modalidades certificadas Angel Healing® y Unicorn Healing® en todo el mundo y cree que, al potenciar nuestras vidas, ayudamos a toda la creación a prosperar. Calista vive en Perthshire, Escocia, con sus tres hijos pequeños y su gata mágica, Luna.

www.CalistaAscension.com